Giovanni Pascoli

Myricae

© 2023 Culturea Editions

Texte et illustration de couverture : © domaine public
Edition : Culturea (Hérault, 34)
Contact : infos@culturea.fr
Retrouvez notre catalogue sur http://culturea.fr
Imprimé en Allemagne par Books on Demand
Design typographique : Derek Murphy
Layout : Reedsy (https://reedsy.com/)

Dépôt légal : janvier 2023
Tous droits réservés pour tous pays

ISBN : 9791041841936

IL GIORNO DEI MORTI

Io vedo (come è questo giorno, oscuro!),
vedo nel cuore, vedo un camposanto
con un fosco cipresso alto sul muro.

E quel cipresso fumido si scaglia
allo scirocco: a ora a ora in pianto
sciogliesi l'infinita nuvolaglia.

O casa di mia gente, unica e mesta,
o casa di mio padre, unica e muta,
dove l'inonda e muove la tempesta;

o camposanto che sì crudi inverni
hai per mia madre gracile e sparuta,
oggi ti vedo tutto sempiterni

e crisantemi. A ogni croce roggia
pende come abbracciata una ghirlanda
donde gocciano lagrime di pioggia.

Sibila tra la festa lagrimosa
una folata, e tutto agita e sbanda.
Sazio ogni morto, di memorie, posa.

Non i miei morti. Stretti tutti insieme,
insieme tutta la famiglia morta,
sotto il cipresso fumido che geme,

stretti così come altre sere al foco
(urtava, come un povero, alla porta
il tramontano con brontolìo roco),

piangono. La pupilla umida e pia
ricerca gli altri visi a uno a uno
e forma un'altra lagrima per via.

Piangono, e quando un grido ch'esce stretto
in un sospiro, mormora, Nessuno! . . .
cupo rompe un singulto lor dal petto.

Levano bianche mani a bianchi volti,
non altri, udendo il pianto disusato,
sollevi il capo attonito ed ascolti.

Posa ogni morto; e nel suo sonno culla
qualche figlio de' figli, ancor non nato.
Nessuno! i morti miei gemono: nulla!

- O miei fratelli! - dice Margherita,
la pia fanciulla che sotterra, al verno,
si risvegliò dal sogno della vita:

- o miei fratelli, che bevete ancora
la luce, a cui mi mancano in eterno
gli occhi, assetati della dolce aurora;

o miei fratelli! nella notte oscura,
quando il silenzio v'opprimeva, e vana
l'ombra formicolava di paura;

io veniva leggiera al vostro letto;
Dormite! vi dicea soave e piana:
voi dormivate con le braccia al petto.

E ora, io tremo nella bara sola;
il dolce sonno ora perdei per sempre
io, senza un bacio, senza una parola.

E voi, fratelli, o miei minori, nulla! . . .
voi che cresceste, mentre qui, per sempre,
io son rimasta timida fanciulla.

Venite, intanto che la pioggia tace,
se vi fui madre e vergine sorella:
ditemi: Margherita, dormi in pace.

Ch'io l'oda il suono della vostra voce
ora che più non romba la procella:
io dormirò con le mie braccia in croce.

Nessuno!- Dice; e si rinnova il pianto,
e scroscia l'acqua: un impeto di vento
squassa il cipresso e corre il camposanto.

- O figli - geme il padre in mezzo al nero
fischiar dell'acqua - o figli che non sento
più da tanti anni! un altro cimitero

forse v'accolse e forse voi chiamate
la vostra mamma, nudi abbrividendo
sotto le nere sibilanti acquate.

E voi le braccia dall'asil lontano
a me tendete, siccome io le tendo,
figli, a voi, disperatamente invano.

O figli, figli! vi vedessi io mai!
io vorrei dirvi che in quel solo istante

per un'intera eternità v'amai.

In quel minuto avanti che morissi,
portai la mano al capo sanguinante,
e tutti, o figli miei, vi benedissi.

Io gettai un grido in quel minuto, e poi
mi pianse il cuore: come pianse e pianse!
e quel grido e quel pianto era per voi.

Oh! le parole mute ed infinite
che dissi! con qual mai strappo si franse
la vita viva delle vostre vite.

Serba la madre ai poveri miei figli:
non manchi loro il pane mai, né il tetto,
né chi li aiuti, né chi li consigli.

Un padre, o Dio, che muore ucciso, ascolta:
aggiungi alla lor vita, o benedetto,
quella che un uomo, non so chi, m'ha tolta.

Perdona all'uomo, che non so; perdona:
se non ha figli, egli non sa, buon Dio . . .
e se ha figlioli, in nome lor perdona.

Che sia felice; fagli le vie piane;
dagli oro e nome; dagli anche l'oblio;
tutto: ma i figli miei mangino il pane.

Così dissi in quel lampo senza fine;
Vi chiamai, muto, esangue, a uno a uno,
dalla più grandicella alle piccine.

Spariva a gli occhi il mondo fatto vano.
In tutto il mondo più non era alcuno.
Udii voi soli singhiozzar lontano.

- Dice; e più triste si rinnova il pianto;
più stridula, più gelida, più scura
scroscia la pioggia dentro il camposanto.

- No, babbo, vive, vivono - Chi parla?
Voce velata dalla sepoltura,
voce nuova, eppur nota ad ascoltarla,

o mio Luigi, o anima compagna!
come ti vedo abbrividire al vento
che ti percuote, all'acqua che ti bagna!

come mutato! sembra che tu sia
un bimbo ignudo, pieno di sgomento,
che chieda, a notte, al canto della via.

- Vivono, vive. Non udite in questa
notte una voce querula, argentina,
portata sino a noi dalla tempesta?

È la sorella che morì lontano,
che in questa notte, povera bambina,
chiama chiama dal poggio di Sogliano.

Chiama. Oh! poterle carezzare i biondi
riccioli qui, tra noi; fuori del nero
chiostro, de' sotterranei profondi!

Un'altra voce tu, fratello, ascolta;
dolce, triste, lontana; il tuo Ruggiero;
in cui, babbo, moristi un'altra volta.

Parlano i morti. Non è spento il cuore
né chiusi gli occhi a chi morì cercando,
a chi non pianse tutto il suo dolore.

E or per quanto stridula di vento
ombra ne dividesse, a quando a quando
udrei, come da vivo, il tuo lamento,

o mio Giovanni, che vegliai, che ressi,
che curai, che difesi, umile e buono,
e morii senza che rivedessi!

Avessi tu provato di quell'ora
ultima il freddo, e or quest'abbandono,
gemendo a noi ti volgeresti ancora.-

- Ma se vivete, perché, morti cuori,
solo è la nostra tomba illacrimata,
solo la nostra croce è senza fiori ?-

Così singhiozza Giacomo: poi geme:
- Quando sola restò la nidïata,
Iddio lo sa, come vi crebbi insieme:

se con pia legge l'umili vivande
tra voi divisi, e destinai de' pani
il più piccolo a me ch'ero il più grande;

se ribevvi le lagrime ribelli
per non far voi pensosi del domani,

se il pianto piansi in me di sei fratelli;

se al sibilar di questi truci venti,
al rombar di quest'acque, io suscitava
la buona fiamma d'eriche e sarmenti;

e io, quando vedea rosso ogni viso,
e più rossi i più piccoli, tremava
sì, del mio freddo, ma con un sorriso.

Ma non per me, non per me piango; io piango
per questa madre che, tra l'acqua, spera,
per questo padre che desìa, nel fango;

per questi santi, o fratel mio, che vivi;
di cui morendo io ti dicea . . . ma era
grossa la lingua e forse non udivi.-

Io vedo, vedo, vedo un camposanto,
oscura cosa nella notte oscura:
odo quel pianto della tomba, pianto

d'occhi lasciati dalla morte attenti,
pianto di cuori cui la sepoltura lasciò,
ma solo di dolor, viventi.

L'odo: ora scorre libero: nessuno
può risvegliarsi, tanto è notte, il vento
è così forte, il cielo è così bruno.

Nessuno udrà. La povera famiglia
può piangere. Nessuno, al suo lamento,
può dire: Altro è mio figlio! altra è mia figlia!

Aspettano. Oh! che notte di tempesta
piena d'un tremulo ululo ferino!
Non s'ode per le vie suono di pesta.

Uomini e fiere, in casolari e tane,
tacciono. Tutto è chiuso. Un contadino
socchiude l'uscio del tugurio al cane.

Piangono. Io vedo, vedo, vedo. Stanno
in cerchio, avvolti dall'assidua romba.
Aspetteranno, ancora, aspetteranno.

I figli morti stanno avvinti al padre
invendicato. Siede in una tomba.
(io vedo, io vedo) in mezzo a lor, mia madre.

Solleva ai morti, consolando, gli occhi,
e poi furtiva esplora l'ombra. Culla
due bimbi morti sopra i suoi ginocchi.

Li culla e piange con quelli occhi suoi,
piange per gli altri morti, e per se nulla,
e piange, o dolce madre! anche per noi;

e dice:- Forse non verranno. Ebbene,
pietà! Le tue due figlie, o sconsolato,
dicono, ora, in ginocchio, un po' di bene.

Forse un corredo cuciono, che preme:
per altri: tutto il giorno hanno agucchiato,
hanno agucchiato sospirando insieme.

E solo a notte i poveri occhi smorti
hanno levato, a un gemer di campane;
hanno pensato, invidïando, ai morti.

Ora, in ginocchio, pregano Maria
al suon delle campane, alte, lontane,
per chi qui giunse, e per chi resta in via

là; per chi vaga in mezzo alla tempesta,
per chi cammina, cammina, cammina,
e non ha pietra ove posar la testa.

Pietà pei figli che tu benedivi!
In questa notte che non mai declina,
orate requie, o figli morti, ai vivi!-
O madre! il cielo si riversa in pianto
oscuramente sopra il camposanto.

Myricae
arbusta iuvant humilesque myricae

DALL'ALBA AL TRAMONTO

I
ALBA FESTIVA

Che hanno le campane,
che squillano vicine,
che ronzano lontane?

E' un inno senza fine,
or d'oro, ora d'argento,

nell'ombre mattutine.

Con un dondolio lento
implori, o voce d'oro,
nel cielo sonnolento.

Tra il cantico sonoro
il tuo tintinno squilla
voce argentina - Adoro,

adoro - Dilla, dilla,
la nota d'oro - L'onda
pende dal ciel, tranquilla.

Ma voce più profonda
sotto l'amor rimbomba,
par che al desìo risponda:

la voce della tomba.

II
SPERANZE E MEMORIE

Paranzelle in alto mare
bianche bianche,
io vedeva palpitare
come stanche:
o speranze, ale di sogni
per il mare!

Volgo gli occhi; e credo in cielo
rivedere
paranzelle sotto un velo,
nere nere:
o memorie, ombre di sogni
per il cielo!

III
SCALPITIO

Si sente un galoppo lontano
(è la . . . ?),
che viene, che corre nel piano
con tremula rapidità.

Un piano deserto, infinito;
tutto ampio, tutt'arido, eguale:
qualche ombra d'uccello smarrito,
che scivola simile a strale:

non altro. Essi fuggono via
da qualche remoto sfacelo;
ma quale, ma dove egli sia,
non sa né la terra né il cielo.

Si sente un galoppo lontano
più forte,
che viene, che corre nel piano:
la Morte! la Morte! la Morte!

IV
IL MORTICINO

Non è Pasqua d'ovo?

Per oggi contai
di darteli, i piedi.
È Pasqua: non sai?
È Pasqua: non vedi
il cercine novo?

Andiamoci, a mimmi,
lontano lontano...
Dan don... Oh! ma dimmi:
non vedi ch'ho in mano
il cercine novo,

le scarpe d'avvio?
Sei morto: non vedi,
mio piccolo cieco!
Ma mettile ai piedi,
ma portale teco,
ma diglielo a Dio,

che mamma ha filato
sei notti e sei dì,
sudato, vegliato,
per farti, oh! così!
le scarpe d'avvio!

V
IL ROSICCHIOLO

Per te l'ha serbato, soltanto
per te, povero angiolo; ed eccolo
o pianto!
lo vedi? un rosicchiolo secco.

Moriva sul letto di strame;
tu, bimbo, dormivi sicuro.
Che pianto! che fame!
ma c'era un rosicchiolo duro.

Ma ella guardava lunghe ore,
guardava il suo bimbo, e morì,
di pianto, di fame, d'amore;
e... guarda! il rosicchiolo è qui.

VI
ALLORA

Allora...in un tempo assai lunge
felice fui molto; non ora:
ma quanta dolcezza mi giunge
da tanta dolcezza d'allora!

Quell'anno! per anni che poi
fuggirono, che fuggiranno,
non puoi, mio pensiero, non puoi,
portare con te, che quell'anno!

Un giorno fu quello, ch'è senza
compagno, ch'è senza ritorno;
la vita fu vana parvenza
sì prima sì dopo quel giorno!

Un punto!... così passeggero,
che in vero passò non raggiunto,
ma bello così, che molto ero
felice, felice, quel punto!

VII
PATRIA

Sogno d'un dì d'estate.

Quanto scampanellare
tremulo di cicale!
Stridule pel filare
moveva il maestrale
le foglie accartocciate.

Scendea tra gli olmi il sole
in fascie polverose:
erano in ciel due sole
nuvole, tenui, rose:
due bianche spennellate

in tutto il ciel turchino.

Siepi di melograno,
fratte di tamerice,
il palpito lontano
d'una trebbïatrice,
l'angelus argentino...

dov'ero? Le campane
mi dissero dov'ero,

piangendo, mentre un cane
latrava al forestiero,
che andava a capo chino.

VIII
IL NUNZIO

Un murmure, un rombo....

Son solo: ho la testa
confusa di tetri
pensieri. Mi desta

quel murmure ai vetri.
Che brontoli, o bombo?

che nuove mi porti?

E cadono l'ore
giú giù, con un lento
gocciare. Nel cuore
lontane risento
parole di morti...

Che brontoli, o bombo?

che avviene nel mondo?
Silenzio infinito.
Ma insiste profondo,
solingo smarrito,
quel lugubre rombo.

IX
LA CUCITRICE

L'alba per la valle nera
sparpagliò le greggi bianche:
tornano ora nella sera

12

e s'arrampicano stanche:
una stella le conduce.

Torna via dalla maestra
la covata, e passa lenta:
c'è del biondo alla finestra
tra un basilico e una menta:
è Maria che cuce e cuce.

Per chi cuci e per che cosa?
un lenzuolo ? un bianco velo ?
Tutto il cielo è color rosa,
rosa e oro, e tutto il cielo
sulla testa le riluce.

Alza gli occhi dal lavoro:
una lagrima? un sorriso?
Sotto il cielo rosa e oro,
chini gli occhi, chino il viso,
ella cuce, cuce, cuce.

X
SERA FESTIVA

O mamma, o mammina, hai stirato
la nuova camicia di lino ?
Non c'era laggiù tra il bucato,
sul bossolo o sul biancospino.
Su gli occhi tu tieni le mani. . .
Perchè? non lo sai che domani ... ?
din don dan, din don dan.

Si parlano i bianchi villaggi
cantando in un lume di rosa:
dall'ombra de' monti selvaggi
si sente una romba festosa.

Tu tieni a gli orecchi le mani...
tu piangi; ed è festa domani. .
din don dan, din don dan.

Tu pensi . . . oh! ricordo: la pieve . . .
quanti anni ora sono ? una sera . .
il bimbo era freddo, di neve;
il bimbo era bianco, di cera:
allora sonò la campana
(perchè non pareva lontana ?)
din don dan, din don dan.

Sonavano a festa, come ora,

per l'angiolo; il nuovo angioletto
nel cielo volava a quell'ora;
ma tu lo volevi al tuo petto,
con noi, nella piccola zana:
gridavi; e lassù la campana. . .
din don dan, din don dan.

RICORDI

I
ROMAGNA
a Severino

Sempre un villaggio, sempre una campagna
mi ride al cuore (o piange), Severino:
il paese ove, andando, ci accompagna
l'azzurra vision di San Marino:

sempre mi torna al cuore il mio paese
cui regnarono Guidi e Malatesta,
cui tenne pure il Passator cortese,
re della strada, re della foresta.

Là nelle stoppie dove singhiozzando
va la tacchina con l'altrui covata,
presso gli stagni lustreggianti, quando
lenta vi guazza l'anatra iridata,

oh! fossi io teco; e perderci nel verde,
e di tra gli olmi, nido alle ghiandaie,
gettarci l'urlo che lungi si perde
dentro il meridiano ozio dell'aie;

mentre il villano pone dalle spalle
gobbe la ronca e afferra la scodella,
e '1 bue rumina nelle opache stalle
la sua laborïosa lupinella.

Da' borghi sparsi le campane in tanto
si rincorron coi lor gridi argentini:
chiamano al rezzo, alla quiete, al santo
desco fiorito d'occhi di bambini.

Già m'accoglieva in quelle ore bruciate
sotto ombrello di trine una mimosa,
che fioria la mia casa ai dì d'estate
co' suoi pennacchi di color di rosa;

e s'abbracciava per lo sgretolato
muro un folto rosaio a un gelsomino;
guardava il tutto un pioppo alto e slanciato,
chiassoso a giorni come un biricchino.

Era il mio nido: dove immobilmente,
io galoppava con Guidon Selvaggio
e con Astolfo; o mi vedea presente
l'imperatore nell'eremitaggio.

E mentre aereo mi poneva in via
con l'ippogrifo pel sognato alone,
o risonava nella stanza mia
muta il dettare di Napoleone;

udia tra i fieni allor allor falciati
da' grilli il verso che perpetuo trema,

udiva dalle rane dei fossati
un lungo interminabile poema.

E lunghi, e interminati, erano quelli
ch'io meditai, mirabili a sognare:
stormir di frondi, cinguettio d'uccelli,
risa di donne, strepito di mare.

Ma da quel nido, rondini tardive,
tutti tutti migrammo un giorno nero;
io, la mia patria or è dove si vive:
gli altri son poco lungi; in cimitero.

Così più non verrò per la calura
tra que' tuoi polverosi biancospini,
ch'io non ritrovi nella mia verzura
del cuculo ozïoso i piccolini,

Romagna solatia, dolce paese,
cui regnarono Guidi e Malatesta;
cui tenne pure il Passator cortese,
re della strada, re della foresta.

II
ANNIVERSARIO

Sono più di trent'anni e di queste ore,
mamma, tu con dolor m'hai partorito;
ed il mio nuovo piccolo vagito
t'addolorava più del tuo dolore.

Poi tra il dolore sempre ed il timore,

o dolce madre, m'hai di te nutrito:
e quando fui del corpo tuo vestito,
quand'ebbi nel mio cuor tutto il tuo cuore;

allor sei morta; e son vent'anni: un giorno!
già gli occhi materni io penso a vuoto;
il caro viso già mi si scolora,

mamma, e più non ti so. Ma nel soggiorno
freddo de' morti, nel tuo sogno immoto,
tu m'accarezzi i riccioli d'allora.

31 di dicembre 1889.

III
RIO SALTO

Lo so: non era nella valle fonda
suon che s'udia di palafreni andanti:
era l'acqua che giù dalle stillanti
tegole a furia percotea la gronda.

Pur via e via per l'infinita sponda
passar vedevo i cavalieri erranti;
scorgevo le corazze luccicanti,
scorgevo l'ombra galoppar sull'onda.

Cessato il vento poi, non di galoppi
il suono udivo, né vedea tremando
fughe remote al dubitoso lume;

ma voi solo vedevo, amici pioppi!
Brusivano soave tentennando
lungo la sponda del mio dolce fiume.

IV
IL MANIERO

Te sovente, o tra boschi arduo maniero,
popolai di baroni e di vassalli,
mentre i falchetti udia squittio su' gialli
merli e radendo il baluardo nero.

Pei vetri un lume trascorrea leggiero,
e nitrivano fervidi i cavalli:
a uno squillo che uscia giù dalle valli,
apria le imposte il maggiordomo austero;

e nel fosso stridea la fragorosa
saracinesca. Or tu, canto divino,

sceso con l'ombre nel mio cuor cadenti,

dove sei? Di tramonti, ora, pensosa,
là sur un torvo giogo d'Apennino
qualch'elce nera lo ripete ai venti.

V
IL BOSCO

O vecchio bosco pieno d'albatrelli,
che sai di funghi e spiri la malìa,
cui tutto io già scampanellare udia
di cicale invisibili e d'uccelli:

in te vivono i fauni ridarelli
ch'hanno le sussurranti aure in balìa;
vive la ninfa, e i passi lenti spia,
bionda tra le interrotte ombre i capelli.

Di ninfe albeggia in mezzo alla ramaglia
or sì or no, che se il desio le vinca,
l'occhio alcuna ne attinge, e il sol le bacia.

Dileguano; e pur viva è la boscaglia,
viva sempre ne' fior della pervinca
e nelle grandi ciocche dell'acacia.

VI
IL FONTE

Mentre con lieve strepito perenne
geme tra il caprifoglio una fontana,
trema un trotto tranquillo, e s'allontana
per le fatate rilucenti Ardenne.

Qui pontò i piedi e s'alzò sulle penne
quell'Ippogrifo, qui stallò l'Alfana:
Brigliadoro dall'India Sericana
in questo trebbio il lungo error sostenne:

che qui l'abbeverava il paladino,
e meditava al mormorio del fonte
senza piegar la ferrea persona:

poi seguì la sua corsa e il suo destino;
così che intorno per la valle e il monte
ancor la notte il trotto ne rintrona.

VII
ANNIVERSARIO

Sappi-e forse lo sai, nel camposanto-
la bimba dalle lunghe anella d'oro,
e l'altra che fu l'ultimo tuo pianto,
sappi ch'io le raccolsi e che le adoro.

Per lor ripresi il mio coraggio affranto,
e mi detersi l'anima per loro:
hanno un tetto, hanno un nido, ora, mio vanto;
e l'amor mio le nutre e il mio lavoro.

Non son felici, sappi, ma serene:
il lor sorriso ha una tristezza pia:
io le guardo-o mia sola erma famiglia !-

sempre a gli occhi sento che mi viene
quella che ti bagnò nell'agonia
non terminata lagrima le ciglia.

31 di dicembre 1890.

VIII
I PUFFINI DELL'ADRIATICO

Tra cielo e mare (un rigo di carmino
recide intorno l'acque marezzate)
parlano. È un'alba cerula d'estate:
non una randa in tutto quel turchino.

Pur voci reca il soffio del garbino
con ozïose e tremule risate.
Sono i puffini: su le mute ondate
pende quel chiacchiericcio mattutino.

Sembra un vociare, per la calma, fioco,
di marinai, ch'ad ora ad ora giunga
tra 'l fievole sciacquìo della risacca;

quando, stagliate dentro l'oro e il fuoco,
le paranzelle in una riga lunga
dondolano sul mar liscio di lacca.

IX
CAVALLINO

O bel clivo fiorito Cavallino
ch'io varcai co' leggiadri eguali a schiera
al mio bel tempo; chi sa dir se l'era

d'olmo la tua parlante ombra o di pino?

Era busso ricciuto o biancospino,
da cui dorata trasparia la sera?
C'è un campanile tra una selva nera,
che canta, bianco, l'inno mattutino?

Non so: ché quando a te s'appressa il vano
desio, per entro il cielo fuggitivo
te vedo incerta visïon fluire.

So ch'or sembri il paese allor lontano
lontano, che dal tuo fiorito clivo
io rimirai nel limpido avvenire.

X
LE MONACHE DI SOGLIANO

Dal profondo geme l'organo
tra 'l fumar de' cerei lento:
c'è un brusio cupo di femmine
nella chiesa del convento:

un vegliardo austero mormora
dall'altar suoi brevi appelli:
dietro questi s'acciabattano
delle donne i ritornelli.

Ma di mezzo a un lungo gemito,
da invisibile cortina,
s'alza a vol secura ed agile
una voce di bambina;

e dintorno a questa ronzano,
tutte a volo, unite e strette,
e la seguono e rincorrono,
voci d'altre giovinette.

Per noi prega, o santa Vergine,
per noi prega, o Madre pia;
per noi prega, esse ripetono,
o Maria! Maria! Maria!

Quali note! Par che tinnino
nell'infrangersi del cuore:
paion umide di lagrime,
paion ebbre di dolore.

Oh! qual colpa macchiò l'anima
di codeste prigioniere?

qual dolor poté precorrervi
la fiorita del piacere?

Queste bimbe, queste vergini
che offesero Dio santo,
che perdòno ne sospirano
con sì lungo inno di pianto?

Manda l'organo i suoi gemiti
tra'l fumar de' cerei lento:
di lontane plaghe sembrano
cupe e fredde onde di vento...

Dalle plaghe inaccessibili
cupo e freddo il vento romba:
già sottentra ai lunghi gemiti
il silenzio della tomba.

XI
IL SANTUARIO

Come un'arca d'aromi oltremarini,
il santuario, a mezzo la scogliera,
esala ancora l'inno e la preghiera
tra i lunghi intercolunnii de' pini;

e trema ancor de' palpiti divini
che l'hanno scosso nella dolce sera,
quando dalla grand'abside severa
uscia l'incenso in fiocchi cilestrini.

S'incurva in una luminosa arcata
il ciel sovr'esso: alle colline estreme
il Carro e fermo e spia l'ombra che sale.

Sale con l'ombra il suon d'una cascata
che grave nel silenzio sacro geme
con un sospiro eternamente uguale.

XII
ANNIVERSARIO

Già li vedevo gli occhi tuoi, soavi
seguirmi sempre per il mio cammino,
chinarsi mesti sul mio capo chino,
volgersi, al mio dubbiar, dubbiosi e gravi.

Come col dolor tuo mi consolavi,
come, o cuore vivente oltre il destino!
come al tuo collo ti tornai bambino

piangendo il pianto che su me versavi!

Or che rivivo alfine, or che trovai
ah! le due parti del tuo cuore infranto,
ora quell'occhio più che mai materno...

No: tu con gli altri, al freddo, all'acqua, stai,
con gli altri, solitari in camposanto,
in questa sera torbida d'inverno.

31 di dicembre 1891.

PENSIERI

I
TRE VERSI DELL'ASCREO

«Non di perenni fiumi passar l'onda,
che tu non preghi volto alla corrente
pura, e le mani tuffi nella monda
acqua lucente»

dice il poeta. E così guarda, o saggio,
tu nel dolore, cupo fiume errante:
passa, e le mani reca dal passaggio
sempre più sante....

II
I TRE GRAPPOLI

Ha tre, Giacinto, grappoli la vite.
Bevi del primo il limpido piacere;
bevi dell'altro l'oblio breve e mite;
e... più non bere:

chè sonno è il terzo, e con lo sguardo acuto
nel nero sonno vigila, da un canto,
sappi, il dolore; e alto grida un muto
pianto già pianto.

III
SAPIENZA

Salì pensoso la romita altura
ove ha il suo nido l'aquila e il torrente,
e centro della lontananza oscura
sta, sapïente.

Oh! scruta intorno gl'ignorati abissi:
più ti va lungi l'occhio del pensiero,
più presso viene quello che tu fissi:
ombra e mistero.

IV
CUORE E CIELO

Nel cuor dove ogni visïon s'immilla,
e spazio al cielo ed alla terra avanza,
talor si spenge un desiderio, e brilla
una speranza:

come nel cielo, oceano profondo,
dove ascendendo il pensier nostro annega,
tramonta un'Alfa, e pullula dal fondo
cupo un'Omega.

V
MORTE E SOLE

Fissa la morte: costellazïone
lugubre che in un cielo nero brilla:
breve parola, chiara visïone:
leggi, o pupilla.

Non puoi. Così, se fissi mai l'immoto
astro nei cieli solitari ardente,
se guardi il sole, occhio, che vedi ? Un vòto
vortice, un niente.

VI
PIANTO

Più bello il fiore cui la pioggia estiva
lascia una stilla dove il sol si frange;
più bello il bacio che d'un raggio avviva
occhio che piange.

VII
CONVIVIO

O convitato della vita, è l'ora.
Brillino rossi i calici di vino;
tu né bramoso più, né sazio ancora,
lascia il festino.

Splendano d'aurea luce i lampadari,
fragri la rosa e il timo dell'Imetto,
sorrida in cerchio tuttavia di cari

capi il banchetto:

tu sorgi e... Triste, su la mensa ingombra,
delle morenti lampade lo svolo
lugubre lungo! triste errar nell'ombra,
ultimo, solo!

VIII
IL PASSATO

Rivedo i luoghi dove un giorno ho pianto:
un sorriso mi sembra ora quel pianto.
Rivedo i luoghi, dove ho già sorriso...
Oh! come lacrimoso quel sorriso!

IX
TRA IL DOLORE E LA GIOIA

Vidi il mio sogno sopra il monte in cima;
era una striscia pallida; co' suoi
boschi d'un verde quale mai né prima
vidi né poi.

Prima, il sonante nembo coi velari,
tutto ascondeva, delle nubi nere:
poi, tutto il sole disvelò del pari
bello a vedere.

Ma quel mio sogno al raggio d'un'aurora
nuova m'apparve e sparve in un baleno,
che il ciel non era torbo più né ancora
tutto sereno.

X
NEL CUORE UMANO

Non ammirare, se in un cuor non basso,
cui tu rivolga a prova, un pungiglione
senti improvviso: c'è sott'ogni sasso
lo scorpïone.

Non ammirare, se in un cuor concesso
al male, senti a quando a quando un grido
buono, un palpito santo: ogni cipresso
porta il suo nido.

CREATURE

I
FIDES

Quando brillava il vespero vermiglio,
e il cipresso pareva oro, oro fino,
la madre disse al piccoletto figlio:
Così fatto è lassù tutto un giardino.

Il bimbo dorme, e sogna i rami d'oro,
gli alberi d'oro, le foreste d'oro;
mentre il cipresso nella notte nera
scagliasi al vento, piange alla bufera.

II
CEPPO

È mezzanotte. Nevica. Alla pieve
suonano a doppio; suonano l'entrata.
Va la Madonna bianca tra la neve:
spinge una porta; l'apre: era accostata.
Entra nella capanna: la cucina
e piena d'un sentor di medicina.
Un bricco al fuoco s'ode borbottare:
piccolo il ceppo brucia al focolare.

Un gran silenzio. Sono a messa? Bene.
Gesu trema; Maria si accosta al fuoco.
Ma ecco un suono, un rantolo che viene
di su, sempre più fievole e più roco.
Il bricco versa e sfrigge: la campana,
col vento, or s'avvicina, or s'allontana.
La Madonna, con una mano al cuore,
geme: Una mamma, figlio mio, che muore!

E piano piano, col suo bimbo fiso
nel ceppo, torna all'uscio, apre, s'avvia.
Il ceppo sbracia e crepita improvviso,
il bricco versa e sfrigola via via:
quel rantolo... è finito. O Maria stanca!
bianca tu passi tra la neve bianca.
Suona d'intorno il doppio dell'entrata:
voce velata, malata, sognata.

III
MORTO

Manina chiusa, che nel sonno grande
stringi qualcosa, dimmi cosa ci hai!

Cosa ci ha? cosa ci ha? Vane domande:
quello che stringe, niuno saprà mai.

Te l'ha portato l'Angelo, il suo dono:
nel sonno, sempre lo stringevi, un dono.
La notte c'era, non c'era il mattino.
Questo ti resterà. Dormi, bambino.

IV
ORFANO

Lenta la neve fiocca, fiocca, fiocca.
Senti: una zana dondola pian piano.
Un bimbo piange, il piccol dito in bocca;
canta una vecchia, il mento sulla mano.

La vecchia canta: Intorno al tuo lettino
c'è rose e gigli, tutto un bel giardino.
Nel bel giardino il bimbo s'addormenta.
La neve fiocca lenta, lenta, lenta.

V
ABBANDONATO

Nella soffitta è solo, è nudo, muore.
Stille su stille gemono dal tetto.

Gli dice il Santo-Ancora un po'; fa' cuore-
Mormora-Il pane; è tanto che l'aspetto-

L'Angelo dice-or viene il Salvatore-
Sospira-un panno pel mio freddo letto-

Maria dice-È finito il tuo dolore!-
-oh! mamma io voglio, e dormire al suo petto-

Lagrima a goccia a goccia la bufera
nella soffitta. Il Santo veglia, assiso;
l'Angelo guarda, smorto come cera;
la Vergine Maria piange un sorriso.

Tace il bambino, aspetta sino a sera,
all'uscio guarda, coi grandi occhi, fiso.

La notte cade, l'ombra si fa nera;
egli va, desolato, in Paradiso.

LA CIVETTA

Stavano neri al lume della luna
gli erti cipressi, guglie di basalto,
quando tra l'ombre svolò rapida una
ombra dall'alto:

orma sognata d'un volar di piume,
orma di un soffio molle di velluto,
che passò l'ombre e scivolò nel lume
pallido e muto;

ed i cipressi sul deserto lido
stavano come un nero colonnato,
rigidi, ognuno con tra i rami un nido
addormentato.

E sopra tanta vita addormentata
dentro i cipressi, in mezzo alla brughiera
sonare, ecco, una stridula risata
di fattucchiera:

una minaccia stridula seguita,
forse, da brevi pigolii sommessi,
dal palpitar di tutta quella vita
dentro i cipressi.

Morte, che passi per il ciel profondo,
passi con ali molli come fiato,
con gli occhi aperti sopra il triste mondo
addormentato;

Morte, lo squillo acuto del tuo riso
unico muove l'ombra che ci occulta
silenzïosa, e, desta all'improvviso
squillo, sussulta;

e quando taci, e par che tutto dorma
nel cipresseto, trema ancora il nido
d'ogni vivente: ancor, nell'aria, l'orma
c'è del tuo grido.

LE PENE DEL POETA

I
I DUE FUCHI

Tu poeta, nel torbido universo

t'affisi, tu per noi lo cogli e chiudi
in lucida parola e dolce verso;

si ch'opera è di te ciò che l'uom sente
tra l'ombre vane, tra gli spettri nudi.
Or qual n'hai grazia tu presso la gente?

Due fuchi udii ronzare sotto un moro.
Fanno queste api quel lor miele (il primo
diceva) e niente più: beate loro!
E l'altro: E poi fa afa: troppo timo!

II
IL CACCIATORE

Frulla un tratto l'idea nell'aria immota;
canta nel cielo. Il cacciator la vede,
l'ode; la segue: il cuor dentro gli nuota.

Se poi col dardo, come fil di sole
lucido e retto, bàttesela al piede,
oh il poeta! gioiva; ora si duole.

Deh! gola d'oro e occhi di berilli,
piccoletta del cielo alto sirena,
ecco, tu più non voli, più non brilli,
più non canti: e non basti alla mia cena.

III
IL LAURO

Nell'orto, a Massa - o blocchi di turchese,
alpi Apuane ! o lunghi intagli azzurri
nel celestino, all'orlo del paese!

un odorato e lucido verziere
pieno di frulli, pieno di sussurri,
pieno de' flauti delle capinere.

Nell'aie acuta la magnolia odora,
lustra l'arancio popolato d'oro -
io, quando al Belvedere era l'aurora,
venivo al piede d'uno snello alloro.

Sorgeva presso il vecchio muro, presso
il vecchio busto d'un imperatore,
col tronco svelto come di cipresso.

Slanciato avanti, sopra il muro, al sole
dava la chioma. Intorno era un odore,

sottil, di vecchio, e forse di vïole.

Io sognava: una corsa lungo il puro
Frigido, l'oro di capelli sparsi,
una fanciulla . . . Ancora al vecchio muro
tremava il lauro che parea slanciarsi.

Un'alba - si sentia di due fringuelli
chiaro il francesco mio: la capinera
già desta squittinìa di tra i piselli -

tu più non c'eri, o vergine fugace:
netto il pedale era tagliato: v'era
quel vecchio odore e quella vecchia pace:

il lauro, no. Sarchiava lì vicino
Fiore, un ragazzo pieno di bontà.
Gli domandai del lauro; e Fiore, chino
sopra il sarchiello: Faceva ombra, sa!

E m'accennavi un campo glauco, o Fiore,
di cavolo cappuccio e cavolfiore.

IV
LE FEMMINELLE

E dice la rosa alba: oh! chi mi svelle?
Son mesta come un colchico: dal ciocco
tanto mi germinò di femminelle!

Erano come punte tenerine
di sparagio: poi fecero lo stocco;
buttano anch'esse e s'armano di spine.

Vivono de' miei fiori color d'alba,
d'alba rosata; e tu non giovi, o ruta.
Mettono un boccio: una corolla scialba,
subito aperta, subito caduta.

L'ULTIMA PASSEGGIATA

I
ARANO

Al campo, dove roggio nel filare
qualche pampano brilla, e dalle fratte
sembra la nebbia mattinal fumare,

arano: a lente grida, uno le lente
vacche spinge; altri semina; un ribatte
le porche con sua marra pazïente;

ché il passero saputo in cor già gode,
e il tutto spia dai rami irti del moro;
e il pettirosso: nelle siepi s'ode
il suo sottil tintinno come d'oro.

II
DI LASSÙ

La lodola perduta nell'aurora
si spazia, e di lassù canta alla villa,
che un fil di fumo qua e là vapora;

di lassù largamente bruni farsi
i solchi mira quella sua pupilla
lontana, e i bianchi bovi a coppie sparsi.

Qualche zolla nel campo umido e nero
luccica al sole, netta come specchio:
fa il villano mannelle in suo pensiero,
e il canto del cuculo ha nell'orecchio.

III
GALLINE

Al cader delle foglie, alla massaia
non piange il vecchio cor, come a noi grami:
che d'arguti galletti ha piena l'aia;

e spessi nella pace del mattino
delle utili galline ode i richiami:
zeppo, il granaio; il vin canta nel tino.

Cantano a sera intorno a lei stornelli
le fiorenti ragazze occhi pensosi,
mentre il granturco sfogliano, e i monelli
ruzzano nei cartocci strepitosi.

IV
LAVANDARE

Nel campo mezzo grigio e mezzo nero
resta un aratro senza buoi che pare
dimenticato, tra il vapor leggero.

E cadenzato dalla gora viene
lo sciabordare delle lavandare

con tonfi spessi e lunghe cantilene:

Il vento soffia e nevica la frasca,
e tu non torni ancora al tuo paese!
quando partisti, come son rimasta!
come l'aratro in mezzo alla maggese.

V
I DUE BIMBI

I due bimbi si rizzano: uno, a stento,
indolenzito; grave, l'altro: il primo
alza il corbello con un gesto lento;

e in quel dell'altro fa cader, bel bello,
il suo tesoro d'accattato fimo:
e quello va più carico e più snello.

Il vinto siede, prova un'altra volta
coi noccioli, li sperpera, li aduna,
e dice (forse al grande olmo che ascolta?):
E poi si dica che non ha fortuna!

VI
LA VIA FERRATA

Tra gli argini su cui mucche tranquillamente pascono, bruna si difila
la via ferrata che lontano brilla;

e nel cielo di perla dritti, uguali,
con loro trama delle aeree fila
digradano in fuggente ordine i pali.

Qual di gemiti e d'ululi rombando
cresce e dilegua femminil lamento?
I fili di metallo a quando a quando
squillano, immensa arpa sonora, al vento.

VII
FESTA LONTANA

Un piccolo infinito scampando
ne ronza e vibra, come d'una festa
assai lontana, dietro un vel d'oblio.

Là, quando ondando vanno le campane,
scoprono i vecchi per la via la testa
bianca, e lo sguardo al suoi fisso rimane.

Ma tondi gli occhi sgranano i bimbetti,
cui trema intorno il loro ciel sereno.
Strillano al crepitar de' mortaretti.
Mamma li stringe all'odorato seno.

VIII
QUEL GIORNO

Dopo rissosi cinguettìi nell'aria,
le rondini lasciato hanno i veroni
della Cura fra gli olmi solitaria.

Quanti quel roseo campanil bisbigli
udì, quel giorno, o strilli di rondoni
impazïenti a gl'inquïeti figli!

Or nel silenzio del meriggio urtare
là dentro odo una seggiola, una gonna
frusciar d'un tratto: alla finestra appare
curïoso un gentil viso di donna.

IX
MEZZOGIORNO

L'osteria della Pergola è in faccende:
piena è di grida, di brusio, di sordi
tonfi; il camin fumante a tratti splende.

Sulla soglia, tra il nembo degli odori
pingui, un mendico brontola: Altri tordi
c'era una volta, e altri cacciatori.

Dice, e il cor s'è beato. Mezzogiorno
dal villaggio a rintocchi lenti squilla;
e dai remoti campanili intorno
un'ondata di riso empie la villa.

X
GIA' DALLA MATTINA

Acqua, rimbomba; dondola, cassetta;
gira, coperchio, intorno la bronzina;
versa, tramoggia, il gran dalla bocchetta;

spolvero, svola. Nero da una fratta
l'asino attende già dalla mattina
presso la risonante cateratta.

Le orecchie scrolla e volgesi a guardare
ché tardi, tra finire, andar bel bello,

intridere, spianare ed infornare,
sul desco fumerai, pan di cruschello.

XI
CARRETTIERE

O carrettiere che dai neri monti
vieni tranquillo, e fosti nella notte
sotto ardue rupi, sopra aerei ponti;

che mai diceva il querulo aquilone
che muggia nelle forre e fra le grotte?
Ma tu dormivi sopra il tuo carbone.

A mano a mano lungo lo stradale
venìa fischiando un soffio di procella:
ma tu sognavi ch'era di natale;
udivi i suoni d'una cennamella.

XII
IN CAPANNELLO

Cigola il lungo e tremulo cancello
la via sbarra: ritte allo steccato
cianciano le comari in capannello:

parlan d'uno ch'è un altro scrivo scrivo;
del vin che costa un occhio, e ce n'è stato;
del governo; di questo mal cattivo;

del piccino; del grande ch'è sui venti;
del maiale, che mangia e non ingrassa -
Nero avanti a quelli occhi indifferenti
il traino con fragore di tuon passa.

XIII
IL CANE

Noi mentre il mondo va per la sua strada,
noi ci rodiamo, e in cuor doppio è l'affanno,
e perchè vada, e perchè lento vada.

Tal, quando passa il grave carro avanti
del casolare, che il rozzon normanno
stampa il suolo con zoccoli sonanti,

sbuca il can dalla fratta, come il vento;
lo precorre, rincorre; uggiola, abbaia.
Il carro è dilungato lento lento.
Il cane torna sternutando all'aia.

XIV
O REGINELLA

Non trasandata ti creò per vero
la cara madre: tal, lungo la via,
tela albeggia, onde godi in tuo pensiero:

presso è la festa, e ognuno a te domanda
candidi i lini, poi che in tua balìa
è il cassone odorato di lavanda.

Felici i vecchi tuoi; felici ancora
i tuoi fratelli; e più, quando a te piaccia,
chi sua ti porti nella sua dimora,
o reginella dalle bianche braccia.

XV
TI CHIAMA

Quella sera i tuoi vecchi (odi? ti chiama
la cara madre: al fumo della bruna
pentola, con irrequieta brama,

rissano i bimbi: frena tu, severa,
quinci una mano trepida, quindi una
stridula bocca, e al piccol volgo impera;

sì che in pace, tra un grande acciottolìo,
bruchi la sussurrante famigliola),
quella notte i tuoi vecchi un dolor pio
soffocheranno contro le lenzuola.

XVI
O VANO SOGNO

Al camino, ove scoppia la mortella
tra la stipa, o ch'io sogno, o veglio teco:
mangio teco radicchio e pimpinella.

Al soffiar delle raffiche sonanti,
l'aulente fieno sul forcon m'arreco,
e visito i miei dolci ruminanti:

poi salgo, e teco - O vano sogno! Quando
nella macchia fiorisce il pan porcino,
lo scolaro i suoi divi ozi lasciando
spolvera il badïale calepino:
chioccola il merlo, fischia il beccaccino;
anch'io torno a cantare in mio latino.

DIALOGO

Scilp: i passeri neri su lo spalto
corrono, molleggiando. Il terren sollo
rade la rondine e vanisce in alto:

vitt. . . videvitt. Per gli uni il casolare,
l'aia, il pagliaio con l'aereo stollo;
ma per l altra il suo cielo ed il suo mare.

Questa, se gli olmi ingiallano la frasca,
cerca i palmizi di Gerusalemme:
quelli, allor che la foglia ultima casca,
restano ad aspettar le prime gemme.

Dib dib bilp bilp: e per le nebbie rare,
quando alla prima languida dolciura
l'olmo già sogna di rigermogliare,

lasciano a branchi la città sonora
e vanno, come per la mietitura,
alla campagna, dove si lavora.

Dopo sementa, presso l'abituro
il casereccio passero rimane;
e dal pagliaio, dentro il cielo oscuro
saluta le migranti oche lontane.

Fischia un grecale gelido, che rade:
copre un tendone i monti solitari:
a notte il vento rugge, urla: poi cade.

E tutto è bianco e tacito al mattino:
nuovo: e dai bianchi e muti casolari
il fumo sbalza, qua e là turchino.

La neve! (Videvitt: la neve? il gelo?
ei di voi, rondini, ride:
bianco in terra, nero in cielo
v'è di voi chi vide . . . vide . . . videvitt?)

La neve! Allora, poi che il cibo manca,
alla città dai mille campanili
scendono, alla città fumida e bianca;
a mendicare. Dalla lor grondaia
spiano nelle chiostre e nei cortili
la granata o il grembiul della massaia.

Tornano quindi ai campi, a seminare
veccia e saggina coi villani scalzi,
e - videvitt - venuta d'oltremare
trovano te che scivoli, che sbalzi,

rondine, e canti; ma non sai la gioia
-scilp- della neve, il giorno che dimoia.

NOZZE
a G.V

Dava moglie la Rana al suo figliolo.
Or con la pace vostra, o raganelle,
suon lo chiese ad un cantor del brolo.

Egli cantò: la cobbola giuliva
parve un picchierellar trito di stelle
nel ciel di sera, che ne tintinniva.

Le campagne addolcì quel tintinnio
e i neri boschi fumiganti d'oro.
tiò tiò tiò tiò tiò tiò tiò tiò tiò
torotorotorotorotíx
torotorotorotorolililíx

È notte: ancora in un albor di neve
sale quest'inno come uno zampillo;
quando la Rana chiede, quanto deve:

se quattro chioccioline, o qualche foglia
d'appio o voglia un mazzuolo di serpillo,
o voglia un paio di bachi, o ciò che voglia.

Oh! rispos'egli: nulla al Rosignolo,
nulla tu devi delle sue cantate:
ei l'ha per nulla e dà per nulla: solo,
si l'ascoltate e poi non gracidate.

Al lume della luna ogni ranocchia
gracidò: Quanta spocchia, quanta spocchia!

LE GIOIE DEL POETA

I
IL MAGO

«Rose al verziere, rondini al verone!»

Dice, e l'aria alle sue dolci parole
sibila d'ali, e l'irta siepe fiora.
Altro il savio potrebbe; altro non vuole;
pago se il ciel gli canta e il suol gli odora;
suoi. nunzi manda alla nativa aurora,
a biondi capi intreccia sue corone.

II
IL MIRACOLO

Vedeste, al tocco suo, morte pupille!
Vedeste in cielo bianchi lastricati
con macchie azzurre tra le lastre rare;

bianche le fratte, bianchi erano i prati,
queto fumava un bianco casolare,
sfogliava il mandorlo ali di farfalle.

Vedeste l'erba lucido tappeto,
e sulle pietre il musco smeraldino;
tremava il verde ciuffo del canneto,
sbocciava la ninfea nell'acquitrino,
tra rane verdi e verdi raganelle.

Vedeste azzurro scendere il ruscello
fuori dei monti, fuor delle foreste,
e quelle creste, aereo castello,
tagliare in cielo un lembo piu celeste:
era colore di viola il colle.

Vedeste in mezzo a nuvole di cloro
rossa raggiar la fuga de' palazzi
lungo la ripa, ed il tramonto d'oro
dalle vetrate vaporare a sprazzi,
a larghi fasci, a tremule scintille.

Dormono i corvi dentro i lecci oscuri
qualche fiaccola va pei cimiteri;
dentro i palazzi, dentro gli abituri,
al buio, accanto ai grandi letti neri,
dormono nere e piccole le culle.

III
IN ALTO

Nel ciel dorato rotano i rondoni.

Avessi al cor, come ali, così lena!
Pur l'amerei la negra terra infida,

sol per la gioia di toccarla appena,
fendendo al ciel non senza acute strida.
Ora quel cielo sembra che m'irrida,
mentre vado così, grondon grondoni.

IV
GLORIA

-Al santo monte non verrai, Belacqua?-

Io non verrò: l'andare in su che porta?
Lungi è la Gloria, e piedi e mani vuole;
e là non s'apre che al pregar la porta,

e qui star dietro il sasso a me non duole,
ed ascoltare le cicale al sole,
e le rane che gracidano, Acqua acqua!

V
CONTRASTO

I

Io prendo un po' di silice e di quarzo:
lo fondo; aspiro; e soffio poi di lena:
ve' la fiala come un dì di marzo,
azzurra e grigia, torbida e serena!
Un cielo io faccio con un po' di rena
e un po' di fiato. Ammira: io son l'artista.

II

Io vo per via guardando e riguardando,
solo, soletto, muto, a capo chino:
prendo un sasso, tra mille, a quando a quando:
lo netto, arroto, taglio, lustro, affino:
chi mi sia, non importa: ecco un rubino;
vedi un topazio; prendi un'ametista.

VI
LA VITE E IL CAVOLO

Dal glauco e pingue cavolo si toglie
e fugge all'olmo la pampinea vite,
ed a sé, tra le branche inaridite,
tira il puniceo strascico di foglie.

Pace, o pampinea vite ! Aureo s'accoglie
il sol nel lungo tuo grappolo mite;
aurea la gioia, e dentro le brunite
coppe ogni cura in razzi d'oro scioglie.

Ma, nobil vite, alcuna gloria è spesso
pur di quel gramo, se per lui l'oscuro
paiol borbotta con suo lieve scrollo;

e il core allegra al pio villan, che d'esso
trova odorato il tiepido abituro,
mentre a' fumanti buoi libera il collo.

FINESTRA ILLUMINATA

I
MEZZANOTTE
a A. B.

Otto... nove... anche un tocco: e lenta scorre
l'ora; ed un altro... un altro. Uggiola un cane.
Un chiù singhiozza da non so qual torre.

È mezzanotte. Un doppio suon di pesta
s'ode, che passa. C'è per vie lontane
un rotolìo di carri che s'arresta

di colpo. Tutto è chiuso, senza forme,
senza colori, senza vita. Brilla,
sola nel mezzo alla città che dorme,
una finestra, come una pupilla

II
UN GATTO NERO

aperta. Uomo che vegli nella stanza
illuminata, chi ti fa vegliare?
dolore antico o giovine speranza?

Tu cerchi un Vero. Il tuo pensier somiglia

un mare immenso: nell'immenso mare,
una conchiglia; dentro la conchiglia,

una perla: la vuoi. Vecchio, un gran bosco
nevato, ai primi languidi scirocchi,
per la tua faccia. Un gatto nero, un fosco
viso di sfinge, t'apre i suoi verdi occhi...

III
DOPO?

Forse è una buona vedova. . . Quand'ella
facea l'imbastitura e il sopramano,
venne il suo bimbo e chiese la novella.

Venne ai suoi piedi: ella contò del Topo,
del Mago . . . Alla costura, egli, pian piano,
l'ultima volta le sussurrò, Dopo?

Dopo tanto, c'è sempre qualche occhiello.
Il topo è morto, s'è smarrito il mago.
Il bimbo dorme sopra lo sgabello,
tra le ginocchia, al ticchettio dell'ago.

IV
UN RUMORE . . .

Una fanciulla. . . La tua mano vola
sopra la carta stridula: s'impenna:
gli occhi cercano intorno una parola.

E la parola te la dà la muta
lampada che sussulta: onde la penna
la via riprende scricchiolando arguta.

St! un rumore . . . ai labbri ti si porta
la penna, un piede dondola . . . Che cosa?
Nulla: un tarlo, un brandir lieve di porta . .
Oh! mamma dorme, e sogna . . . che sei sposa.

V
POVERO DONO

Getta quell'arma che t'incanta. Spera
l'ultima volta. Aspetta ancora, aspetta
che il gallo canti per la città nera.

Il gallo canta, fuggono le larve.
Fuggirà, fuggirà la maledetta
maga che con fatali occhi t'apparve.

Verrà tua madre morta, col suo mesto
viso, col mormorìo della sua prece. . .
ti pregherà che tu lo serbi questo
povero dono ch'ella un dì ti fece!

VI
UN RONDINOTTO

È ben altro. Alle prese col destino
veglia un ragazzo che con gesti rari
fila un suo lungo penso di latino.

Il capo ad ora ad ora egli solleva
dalla catasta dei vocabolari,
come un galletto garrulo che beva.

Povero bimbo! di tra i libri via
appare il bruno capo tuo, scompare;
come d'un rondinotto, quando spia
se torna mamma e porta le zanzare.

VII
SOGNO D'OMBRA

Rantolo d'avo, rantolo d'infante.
Par l'uno il cigolìo d'un abbaino
a cui percuota l'aquilone errante:

l'altro e come a fior d'acqua un improvviso
vanir di bolla, donde un cerchiolino
s'apre ogni volta e scivola nel viso.

Vissero. Quanto? le pupille fisse
chiedono. Uno la gente di sua gente
vide; l'altro, non sé. Ma l'uno visse
quello che l'altro: un sogno d'ombra, un niente.

VIII
MISTERO

Vergine . . . bianca sopra il bianco letto,
ti prese il sonno a mezzo la preghiera?
Tu hai le mani in croce sopra il petto.

Ti prese tra i due ceri e le corone
quel sonno? in mezzo agli Ave della sera?
Tu dici ancora quella orazïone.

Tieni il rosario tra le mani pie.

Non muove i labbri un tremito leggiero?
Ma non scorrono più le avemarie,
e tu contemplerai sempre un mistero.

IX
VAGITO

Mammina . . . bianca sopra il letto bianco
tu dormi. Chi sul volto ti compose
quel dolor pago e quel sorriso stanco ?

Tu dormi: intorno al languido origliere
tutto biancheggia. Intorno a te le cose
fanno piccoli cenni di tacere.

E tutto albeggia e tutto tace. Il fine
è questo, è questo il cominciar d'un rito?
Di tra un silenzio candido di trine
parla il mistero in suono di vagito.

SOLITUDINE

I

Da questo greppo solitario io miro
passare un nero stormo, un aureo sciame;
mentre sul capo al soffio di un sospiro
ronzano i fili tremuli di rame.

È sul mio capo un'eco di pensiero
lunga, né so se gioia o se martoro;
e passa l'ombra dello stormo nero,
e passa l'ombra dello sciame d'oro.

II

Sono città che parlano tra loro,
città nell'aria cerula lontane;
tumultuanti d'un vocìo sonoro,
di rote ferree e querule campane.

Là, genti vanno irrequïete e stanche,
cui falla il tempo, cui l'amore avanza
per lungi, e l'odio. Qui, quell'eco ed anche
quel polverio di ditteri, che danza.

III

Parlano dall'azzurra lontananza
nei giorni afosi, nelle vitree sere;
e sono mute grida di speranza
e di dolore, e gemiti e preghiere. . .

Qui quel ronzìo. Le cavallette sole
stridono in mezzo alla gramigna gialla;
i moscerini danzano nel sole;
trema uno stelo sotto una farfalla.

CAMPANE A SERA

Odi, sorella, come note al core
quelle nel vespro tinnule campane
empiono l'aria quasi di sonore
grida lontane ?

A quel tumulto aereo risponde
dal cuore un fioco scampanìo, sì lieve,
come stormeggi, dietro macchie fonde,
candida pieve.

Forse una pieve ne' cilestri monti
la sagra annunzia ad ogni casolare,
onde si fece a' placidi tramonti
lungo parlare;

ed or, sospeso il ticchettio dell'ago,
guardano donne verso la marina,
seguendo un fiocco di bambagia, vago,
che vi s'ostina.

Grandi occhi, sotto grandi archi di ciglia,
guardano il cielo, empiendosi di raggi,
là dove l'aria allumina vermiglia
boschi di faggi.

Voci soavi, voi tinnite a festa
da così strana e cupa lontananza,
che là si trova il desiderio, e resta
qua la speranza.

Io mi rivedo in un branchetto arguto
di biondi eguali su per l'Appennino
opaco d'elci: o snelle, vi saluto,
torri d'Urbino!

Vi riconosco, o due sottili torri,
vi riconosco, o memori Cesane
folte di lazzi cornïoli i borri
e d'avellane.

Vaga lo stuolo delle rosee bocche
pe' clivi, e sparge nella via maestra

messe di fiordalisi e l'auree ciocche
della ginestra.

Nella via bianca il novo drappo svaria
coi rosolacci e le sottili felci;
e par che attenda, nella solitaria
ombra dell'elci;

pare che attenda nella via tranquilla,
sotto quest'ampio palpito sonoro,
uno dai neri monti su cui brilla
porpora e oro.

ELEGIE

I
LA FELICITÀ

Quando, all'alba, dall'ombra s'affaccia,
discende le lucide scale
e vanisce; ecco dietro la traccia
d'un fievole sibilo d'ale,

io la inseguo per monti, per piani,
nel mare, nel cielo: già in cuore
io la vedo, già tendo le mani,
già tengo la gloria e l'amore.

Ahi! ma solo al tramonto m'appare,
su l'orlo dell'ombra lontano,
e mi sembra in silenzio accennare
lontano, lontano, lontano.

La via fatta, il trascorso dolore,
m'accenna col tacito dito:
improvvisa, con lieve stridore,
discende al silenzio infinito.

II
SORELLA
a Maria

Io non so se più madre gli sia
la mesta sorella o più figlia:
ella dolce ella grave ella pia,
corregge conforta consiglia.

A lui preme i capelli, l'abbraccia
pensoso, gli dice, Che hai?

a lui cela sul petto la faccia
confusa, gli dice, Non sai?

Ella serba nel pallido viso,
negli occhi che sfuggono intorno,
ah! per quando egli parte il sorriso,
le lagrime per il ritorno.

Per l'assente la madia che odora,
serbò la vivanda più buona;
e lo accoglie lo sguardo che ignora,
col bacio che sa, ma perdona.

Ella cuce: nell'ombra romita
non s'ode che l'ago e l'anello;
ecco, l'ago fra le agili dita
ripete, Stia caldo, sia bello!

Ella prega: un lungo alito d'avemarie con un murmure lene...
ella prega; ed un'eco soave
ripete, Sia buono, stia bene!

III
X AGOSTO

San Lorenzo, io lo so perché tanto
di stelle per l'aria tranquilla
arde e cade, perché sì gran pianto
nel concavo cielo sfavilla.

Ritornava una rondine al tetto:
l'uccisero: cadde tra spini:
ella aveva nel becco un insetto:
la cena de' suoi rondinini.

Ora è là come in croce, che tende
quel verme a quel cielo lontano;

e il suo nido è nell'ombra, che attende,
che pigola sempre più piano.

Anche un uomo tornava al suo nido:
l'uccisero: disse: Perdono;
e restò negli aperti occhi un grido
portava due bambole in dono...

Ora là, nella casa romita,
lo aspettano, aspettano in vano:
egli immobile, attonito, addita
le bambole al cielo lontano

E tu, Cielo, dall'alto dei mondi
sereni, infinito, immortale,
Oh! d'un pianto di stelle lo inondi
quest'atomo opaco del Male!

IV
L'ANELLO

Nella mano sua benedicente
l'anello brillava lontano.
Egli alzò quella mano, morente:
di caldo s'empì quella mano..

O mio padre, di sangue! L'anello
lo tenne sul cuore mia madre...
O mia madre! Poi l'ebbe il fratello
mio grande... o mio piccolo padre!

Nel suo gracile dito il tesoro
raggiò di benedizïone.
Una macchia avea preso quell'oro,
di ruggine, presso il castone...

O mio padre, di sangue! Una sera,
la macchia volevi lavare,
o fratello? che pianto fu ! t'era
caduto l'anello nel mare.

E nel mare è rimasto; nel fondo
del mare che grave sospira;
una stella dal cielo profondo
nel mare profondo lo mira.

Quella macchia ! S'adopra a lavarla
il mare infinito; ma in vano.
E la stella che vede, ne parla
al cielo infinito; ah! in vano.

45

V
AGONIA DI MADRE

Muore. Sfugge alla morta pupilla
già il bimbo che geme al suo piede:
ode un suono lontano di squilla:
son due . . . gli occhi, grave, apre: vede.

Uno piange, ma l'altro sorride
d'un bianco sorriso di cieco.
Ella guarda, ella pensa: lo vide
così: quando? e ha come l'eco

d'un gran pianto nel cuore, la traccia
di lagrime morte negli occhi.
Ah! ricordano un peso le braccia,
ricordano un peso i ginocchi,

grave. Due sono i bimbi: uno piange;
ma dorme il più piccolo ancora:
ella versa dal cuor che si frange,
le lagrime d'ora e d'allora.

- Dormi, o angelo - o angelo, déstati,
destati - mormora il cuore.
Tra la culla e una bara s'arresta
la mano sua, rigida. Muore.

Il suo primo, il suo morto è sparito
con lei che nell'ombra lo reca:
piange l'altro; ella n'ode il vagito
col bianco stupore di cieca.

VI
LAPIDE

Dietro spighe di tasso barbasso,
tra un rovo, onde un passero frulla
improvviso, si legge in un sasso:
QUI DORME PIA GIGLI FANCIULLA.

Radicchiella dall'occhio celeste,
dianto di porpora, sai,
sai, vilucchio, di Pia? la vedeste,
libellule tremule, mai ?

Ella dorme. Da quando raccoglie
nel cuore il soave oblio? Quante
oh! le nubi passate, le foglie
cadute, le lagrime piante;

quanto, o Pia, si morì da che dormi
tu! Pura di vite create
a morire, tu, vergine, dormi,
le mani sul petto incrociate.

Dormi, vergine, in pace: il tuo lene
respiro nell'aria lo sento
assonare al ronzio delle andrene,
coi brividi brevi del vento.

Lascia argentei il cardo al leggiero
tuo alito i pappi suoi come
il morente alla morte un pensiero,
vago, ultimo: l'ombra d'un nome.

IDA E MARIA

O mani d'oro, le cui tenui dita
menano i tenui fili ad escir fiori
dal bianco bisso, e sì, che la fiorita
sembra che odori;

o mani d'oro, che leggiere andando,
rigasi il lin, miracolo a vederlo,
qual seccia arata nell'autunno, quando
chioccola il merlo;

o mani d'oro, di cui l'opra alterna
sommessamente suona senza posa,
mentre vi mira bionde la lucerna
silenzïosa:

or m'apprestate quel che già chiedevo
funebre panno, o tenui mani d'oro,
però che i morti chiamano e ch'io devo
esser con loro.

Ma non sia raso stridulo, non sia
puro amïanto; sia di que' sinceri
teli, onde grevi a voi lasciò la pia
madre i forzieri;

teli, a cui molte calcole sonare
udì San Mauro e molte alate spole:
un canto a tratti n'emergea di chiare,
lente parole:

teli, che a notte biancheggiar sul fieno
vidi con occhio credulo d'incanti,
ne' prati al plenilunio sereno

riscintillanti .

IN CAMPAGNA

I
IL VECCHIO DEI CAMPI

Al sole, al fuoco, sue novelle ha pronte
il bianco vecchio dalla faccia austera,
che si ricorda, solo ormai, del ponte,
quando non c'era.

Racconta al sole (i buoi fumidi stanno,
fissando immoti la sua lenta fola)

come far sacca si dové, quell'anno,
delle lenzuola.

Racconta al fuoco (sfrigola bel bello
un ciocco d'olmo in tanto che ragiona),
come a far erba uscisse con Rondello
Buovo d'Antona.

II
NELLA MACCHIA

Errai nell'oblio della valle
tra ciuffi di stipe fiorite,
tra quercie rigonfie di galle;

errai nella macchia più sola,
per dove tra foglie marcite
spuntava l'azzurra vïola;

errai per i botri solinghi:
la cincia vedeva dai pini:
sbuffava i suoi piccoli ringhi
argentini.

Io siedo invisibile e solo
tra monti e foreste: la sera
non freme d'un grido, d'un volo.

Io siedo invisibile e fosco;
ma un cantico di capinera
si leva dal tacito bosco.

E il cantico all'ombre segrete

per dove invisibile io siedo,
con voce di flauto ripete,
Io ti vedo!

III
IL BOVE

Al rio sottile, di tra vaghe brume,
guarda il bove, coi grandi occhi: nel piano
che fugge, a un mare sempre più lontano
migrano l'acque d'un ceruleo fiume;

ingigantisce agli occhi suoi, nel lume
pulverulento, il salice e l'ontano;
svaria su l'erbe un gregge a mano a mano,
e par la mandra dell'antico nume:

ampie ali aprono imagini grifagne
nell'aria; vanno tacite chimere,
simili a nubi, per il ciel profondo;

il sole immenso, dietro le montagne
cala, altissime: crescono già, nere,
l'ombre più grandi d'un più grande mondo.

IV
LA DOMENICA DELL'ULIVO

Hanno compiuto in questo dì gli uccelli
il nido (oggi è la festa dell'ulivo)
di foglie secche, radiche, fuscelli;

quel sul cipresso, questo su l'alloro,
al bosco, lungo il chioccolo d'un rivo,
nell'ombra mossa d'un tremolìo d'oro.

E covano sul musco e sul lichene
fissando muti il cielo cristallino,
con improvvisi palpiti, se viene
un ronzio d'ape, un vol di maggiolino.

V
VESPRO

Dal cielo roseo pullula una stella.

Una campana parla della cosa
col suo grave dan dan dalla badia;
onde tra i pioppi tinti in color rosa
suona un continuo scalpicciar per via:

passa una lunga e muta compagnia
con fasci di trifoglio e lupinella.

Una fanciulla cuce ed accompagna,
cantarellando, dalla nera altana,
un canto che s'alzò dalla campagna,
quando nel cielo tacque la campana:
s'alzò da un olmo solo in una piana,
da un olmo nero che da sé stornella.

VI
CANZONE D 'APRILE

Fantasma tu giungi,
tu parti mistero.
Venisti, o di lungi?
ché lega già il pero,
fiorisce il cotogno
laggiù.
Di cincie e fringuelli
risuona la ripa.
Sei tu tra gli ornelli,
sei tu tra la stipa?
Ombra! anima! sogno!
sei tu . . . ?

Ogni anno a te grido
con palpito nuovo.
Tu giungi: sorrido;
tu parti: mi trovo
due lagrime amare
di più.

Quest'anno . . . oh! quest'anno,
la gioia vien teco:
già l'odo, o m'inganno,
quell'eco dell'eco;
già t'odo cantare
Cu . . . cu.

VII
ALBA

Odoravano i fior di vitalba
per via, le ginestre nel greto;
alïavano prima dell'alba
le rondini nell'uliveto.

Alïavano mute con volo
nero, agile, di pipistrello;

e tuttora gemea l'assïolo,
che già spincionava il fringuello.

Tra i pinastri era l'alba che i rivi
mirava discendere giù:
guizzò un raggio, soffio su gli ulivi;
virb... disse una rondine; e fu

giorno: un giorno di pace e lavoro,
che l'uomo mieteva il suo grano,
e per tutto nel cielo sonoro
saliva un cantare lontano.

VIII
DALL'ARGINE

Posa il meriggio su la prateria.
Non ala orma ombra nell'azzurro e verde.
Un fumo al sole biancica; via via
fila e si perde.

Ho nell'orecchio un turbinìo di squilli,
forse campani di lontana mandra;
e, tra l'azzurro penduli, gli strilli
della calandra.

IX
IL PASSERO SOLITARIO

Tu nella torre avita,
passero solitario,
tenti la tua tastiera,
come nel santuario
monaca prigioniera
l'organo, a fior di dita;

che pallida, fugace,
stupì tre note, chiuse
nell'organo, tre sole,
in un istante effuse,
tre come tre parole
ch'ella ha sepolte, in pace.

Da un ermo santuario
che sa di morto incenso
nelle grandi arche vuote,
di tra un silenzio immenso
mandi le tue tre note,
spirito solitario.

X
STOPPIA

Dov'è, campo, il brusìo della maretta
quando rabbrividivi ai libeccioli?
Ti resta qualche fior d'erba cornetta,
i fioralisi, i rosolacci soli.

E nel silenzio del mattino azzurro
cercano in vano il solito sussurro;

mentre nell'aia, là, del contadino
trebbiano nel silenzio del mattino.

Dov'è, campo, il tuo mare ampio e tranquillo,
col tenue vel di reste, ai pleniluni?
Pei nudi solchi trilla trilla il grillo,
lucciole vanno per i solchi bruni.

E nella sera, con ansar di lampo,
cercano il grano nel deserto campo;

mentre tuttora, là, dalla riviera
romba il mulino nella dolce sera.

XI
L'ASSIUOLO

Dov'era la luna? ché il cielo
notava in un'alba di perla,
ed ergersi il mandorlo e il melo
parevano a meglio vederla.
Venivano soffi di lampi
da un nero di nubi laggiù;
veniva una voce dai campi:
chiù . . .

Le stelle lucevano rare
tra mezzo alla nebbia di latte:
sentivo il cullare del mare,
sentivo un fru fru tra le fratte;
sentivo nel cuore un sussulto,
com'eco d'un grido che fu.
Sonava lontano il singulto:
chiù . . .

Su tutte le lucide vette
tremava un sospiro di vento:
squassavano le cavallette
finissimi sistri d'argento

52

(tintinni a invisibili porte
che forse non s'aprono più? . . .);
e c'era quel pianto di morte. . .
chiù . . .

XII
TEMPORALE

Un bubbolìo lontano. . .

Rosseggia l'orizzonte,
come affocato, a mare:
nero di pece, a monte,
stracci di nubi chiare:
tra il nero un casolare:
un'ala di gabbiano.

XIII
DOPO L'ACQUAZZONE

Passò strosciando e sibilando il nero
nembo: or la chiesa squilla; il tetto, rosso,
luccica; un fresco odor dal cimitero
viene, di bosso.

Presso la chiesa; mentre la sua voce
tintinna, canta, a onde lunghe romba;
ruzza uno stuolo, ed alla grande croce
tornano a bomba.

Un vel di pioggia vela l'orizzonte;
ma il cimitero, sotto il ciel sereno,
placido olezza: va da monte a monte
l'arcobaleno.

XIV
PIOGGIA

Cantava al buio d'aia in aia il gallo.

E gracidò nel bosco la cornacchia:
il sole si mostrava a finestrelle.
Il sol dorò la nebbia della macchia,
poi si nascose; e piovve a catinelle.
Poi tra il cantare delle raganelle
guizzò sui campi un raggio lungo e giallo.

Stupìano i rondinotti dell'estate
di quel sottile scendere di spille:
era un brusìo con languide sorsate

e chiazze larghe e picchi a mille a mille;
poi singhiozzi, e gocciar rado di stille:
di stille d'oro in coppe di cristallo.

XV
SERA D'OTTOBRE

Lungo la strada vedi su la siepe
ridere a mazzi le vermiglie bacche:
nei campi arati tornano al presepe
tarde le vacche.

Vien per la strada un povero che il lento
passo tra foglie stridule trascina:
nei campi intuona una fanciulla al vento:
Fiore di spina! . . .

XVI
ULTIMO CANTO

Solo quel campo, dove io volga lento
l'occhio, biondeggia di pannocchie ancora,
e il solicello vi si trascolora.

Fragile passa fra' cartocci il vento:
uno stormo di passeri s'invola:
nel cielo è un gran pallore di viola.

Canta una sfogliatrice a piena gola:
Amor comincia con canti e con suoni
e poi finisce con lacrime al cuore.

XVII
IL PICCOLO BUCATO

Come tetra la sizza che combatte
gli alberi brulli e fa schioccar le rame
secche, e sottile fischia tra le fratte !

Sur una fratta (o forse è un biancor d'ale ?)
un corredino ride in quel marame:
fascie, bavagli, un piccolo guanciale.

Ad ogni soffio del rovaio, che romba,
le fascie si disvincolano lente;
e da un tugurio triste come tomba
giunge una nenia, lunga, pazïente.

XVIII
NOVEMBRE

Gemmea l'aria, il sole così chiaro
che tu ricerchi gli albicocchi in fiore,
e del prunalbo l'odorino amaro
senti nel cuore

Ma secco è il pruno, e le stecchite piante
di nere trame segnano il sereno,
e vuoto il cielo, e cavo al piè sonante
sembra il terreno.

Silenzio, intorno: solo, alle ventate,
odi lontano, da giardini ed orti,
di foglie un cader fragile. È l'estate,
fredda, dei morti.

PRIMAVERA

I
IL FIUME

Fiume che là specchiasti un casolare
co' suoi rossi garofani, qua mura

d'erme castella, e tremula verzura;
eccoti giunto al fragoroso mare:

ed ecco i flutti verso te balzare
su dall'interminabile pianura,
in larghe file; e nella riva oscura
questa si frange, e in quella in alto appare;

tituba e croscia. E là, donde tu lieto,
di sasso in sasso, al piè d'una betulla,
sgorghi sonoro tra le brevi sponde;

a un po' d'auretta scricchiola il canneto,
fruscia il castagno, e forse una fanciulla
sogna a quell'ombre, al mormorìo dell'onde.

II
LO STORNELLO

- Sospira e piange, e bagna le lenzuola
la bella figlia, quando rifà il letto,-
tale alcuno comincia un suo rispetto:

trema nell'aurea notte ogni parola;

e sfiora i bossi, quasi arguta spola,
l'aura con un bruire esile e schietto:
- e si rimira il suo candido petto,
e le rincresce avere a dormir sola.-

Solo, là dalla siepe, è il casolare;
nel casolare sta la bianca figlia;
la bianca figlia il puro ciel rimira.

Lo vuole, a stella a stella, essa contare;
ma il ciel cammina, e la brezza bisbiglia,
e quegli canta, e il cuor piange e sospira.

III
LA PIEVE

Giorno d'arrivi il tuo, san Benedetto:
ecco una prima rondine che svola.
E trova i pioppi nella valle sola,
la grande pieve, il nido piccoletto.

Razzano i vetri; l'occhio del coretto
nereggia sotto un ciuffo di vïola:
ecco la cigolante banderuola,
gli embrici roggi del loquace tetto.

E di saluti sonano le gronde
e il chiuso, dove il cielo è vaporato
da un rosseggiar di peschi e d'albicocchi.

E la rondine stridula risponde
alïando con lievi ombre: sul prato
le segue un cane co' fuggevoli occhi.

IV
IN CHIESA

Sciama con un ronzio d'api la gente
dalla chiesetta in sul colle selvaggio;
e per la sera limpida di maggio
vanno le donne, a schiera, lente lente;

e passano tra l'alta erba stridente,
e pare una fiorita il lor passaggio:
le attende a valle tacito il villaggio
con le capanne chiuse e sonnolente.

Ma la chiesetta ancor nell'alto svaria

tra le betulle, e il tetto d'un intenso
rossor sfavilla nel silenzio alpestre.

Il rombo delle pie laudi nell'aria
palpita ancora; un lieve odor d'incenso
sperdesi tra le mente e le ginestre.

GERMOGLIO

La scabra vite che il lichene ingromma
come di gialla ruggine, germoglia:
spuntar vidi una, lucida di gomma,
piccola foglia.

Al sol che brilla in mezzo a gli umidicci
solchi anche l'olmo screpolato muove:
medita, il vecchio, rame, pei viticci
nuovi, pur nuove:

cui tremolando cercano coi lenti
viticci i tralci a foglie color rame,
mentre su loro tremolano ai venti
anche le rame.

Da qual profonda cavità m'ha scosso
il canto dell'aereo cuculo?
fiorisce a spiga per le prode il rosso
pandicuculo?

È del fior d'uva questa ambra che sento
o una lieve traccia di vïole?
dove si vede il grappolo d'argento
splendere al sole?

grappolo verde e pendulo, che invaia
alle prime acque fumide d'agosto,
quando il villano sente sopra l'aia
piovere mosto:

mosto che cupo brontola e tra nere
ombre sospira e canta San Martino,
allor che singultando nel bicchiere
sdrucciola vino;

vino che rosso avanti il focolare
brilla, al fischiare della tramontana,
che giunge come un fragoroso mare
e s'allontana

simile a sogno: quando su le strade
volano foglie cui persegue il cuore
simili a sogno; quando tutto cade,
stingesi, e muore.

Muore? Anche un sogno, che sognai! Germoglia
la scabra vite che il lichene ingromma:
spunta da un nodo una lanosa foglia
molle di gomma.

DOLCEZZE

I
BENEDIZIONE

E' la sera: piano piano
passa il prete pazïente,
salutando della mano
ciò che vede e ciò che sente.

Tutti e tutto il buon piovano
benedice santamente;
anche il loglio, là, nel grano;
qua, ne' fiori, anche il serpente.

Ogni ramo, ogni uccellino
sì del bosco e sì del tetto,
nel passare ha benedetto;

anche il falco, anche il falchetto
nero in mezzo al ciel turchino,
anche il corvo, anche il becchino,
poverino,

che lassù nel cimitero
raspa raspa il giorno intiero.

II
CON GLI ANGIOLI

Erano in fiore i lilla e l'ulivelle;
ella cuciva l'abito di sposa:

né l'aria ancora aprìa bocci di stelle,
né s'era chiusa foglia di mimosa;

quand'ella rise; rise, o rondinelle

nere, improvvisa: ma con chi? di cosa?

rise, così, con gli angioli; con quelle
nuvole d'oro, nuvole di rosa.

III
IL MENDICO

Presso il rudere un pezzente
cena tra le due fontane:
pane alterna egli col pane,
volti gli occhi all'occidente.

Fa un incanto nella mente:
carne è fatto, ecco, l'un pane.
Tra il gracchiare delle rane
sciala il mago sapïente.

Sorge e beve alle due fonti:
chiara beve acqua nell'una,
ma nell'altra un dolce vino.

Giace e guarda: sopra i monti
sparge il lume della luna;
getta l'arti al ciel turchino,
baldacchino

di mirabile lavoro,
ch'ei trapunta a stelle d'oro.

IV
MARE

M'affaccio alla finestra, e vedo il mare:
vanno le stelle, tremolano l'onde.
Vedo stelle passare, onde passare:
un guizzo chiama, un palpito risponde.

Ecco sospira l'acqua, alita il vento:
sul mare è apparso un bel ponte d'argento.

Ponte gettato sui laghi sereni,
per chi dunque sei fatto e dove meni?

V
A NANNA

Come un rombo d'arnia suona
tra il cricchiar della mortella.
Nonna, è detta la corona:

nonna, or dì la tua novella.

Ella dice, ell'è pur buona,
la più lunga, la più bella:
- Sola (o Dio: bubbola e tuona!)
sola va la reginella.

Ecco un lume, una stellina,
ma lontanamente, appare.
Via, conviene andare andare.

Va e va.- Ma ciondolare
già comincia una testina;
due sonnecchiano; cammina
che cammina,

e le son tutte arrivate:
sono in collo delle fate.

VI
IL PICCOLO ARATORE

Scrive. . . (la nonna ammira): ara bel bello,
guida l'aratro con la mano lenta;
semina col suo piccolo marrello:
il campo è bianco, nera la sementa.

D'inverno egli ara: la sementa nera
d'inverno spunta, sfronza a primavera;

fiorisce, ed ecco il primo tuon di Marzo
rotola in aria, e il serpe esce dal balzo.

VII
IL PICCOLO MIETITORE

Legge . . . (la nonna ammira): ecco il campetto
bianco di grano nero in lunghe righe:
esso tutt'occhi, con il suo falsetto
a una a una miete quelle spighe;

miete, e le spighe restano pur quelle;
miete e lega coi denti le mannelle;

e le mannelle di tra i denti suoi
parlano . . . come noi, meglio di noi.

VIII
NOTTE
Siedon fanciulle ad arcolai ronzanti,
e la lucerna i biondi capi indora:

i biondi capi, i neri occhi stellanti,
volgono alla finestra ad ora ad ora:

attendon esse a cavalieri erranti
che varcano la tenebra sonora?

Parlan d'amor, di cortesie, d'incanti:
così parlando aspettano l'aurora.

TRISTEZZE

I
PAESE NOTTURNO

Capanne e stolli ed alberi alla luna
sono, od un tempio dell'antico Anubi,
fosca rovina? Stampano una bruna
orma le nubi

su la campagna, e più profonda e piena
la notte preme le macerie strane,
chiuse allo sguardo, dove alla catena
uggiola un cane.

Ecco la falce d'oro all'orizzonte:
due nere guglie a man a man dipinge,
indi non so che candido. Una fronte
bianca di sfinge?

II
RAMMARICO

Chi questo nuovo pianto in cuor mi pone ?

Verso occidente, o dolce madre Aurora,
da te lontano la mia vita è corsa.
Il cielo s'alza e tutto trascolora;
passano stelle e stelle in lenta corsa;
emerge dall'azzurro la grand'Orsa,
e sta nell'arme fulgido Orïone.

Come più lieta la tua vista, quando
un poco accenni delle rosee dita;

e la greggia s'avvia scampanellando,
esce il bifolco e rauco i bovi incìta,
Canta lassù la lodola - apparita
ecco Giulietta, e piange, al suo balcone!-

III
SOGNO

Per un attimo fui nel mio villaggio,
nella mia casa. Nulla era mutato
Stanco tornavo, come da un vïaggio;
stanco, al mio padre, ai morti, ero tornato.

Sentivo una gran gioia, una gran pena;
una dolcezza ed un'angoscia muta.
- Mamma?-È là che ti scalda un po' di cena-
Povera mamma! e lei, non l'ho veduta.

IV
I GATTICI

E vi rivedo, o gattici d'argento,
brulli in questa giornata sementina:
e pigra ancor la nebbia mattutina
sfuma dorata intorno ogni sarmento.

Gia vi schiudea le gemme questo vento
che queste foglie gialle ora mulina;
e io che al tempo allor gridai, Cammina,
ora gocciare il pianto in cuor mi sento.

Ora, le nevi inerti sopra i monti,
e le squallide pioggie, e le lunghe ire
del rovaio che a notte urta le porte,

e i brevi dì che paiono tramonti.
infiniti, e il vanire e lo sfiorire,
e i crisantemi, il fiore della morte.

V
LA SIEPE

Qualche bacca sui nudi ramicelli
del biancospino trema nel viale
gelido: il suol rintrona, andando, quale
per tardi passi il marmo degli avelli.

Le pasce il piccol re, re degli uccelli
ed altra gente piccola e vocale.
S'odono a sera lievi frulli d'ale,

via, quando giunge un volo di monelli.

Anch'io; ricordo, ma passò stagione;
quelle bacche a gli uccelli della frasca
invidiavo, e le purpuree more;

e l'ala, i cieli, i boschi, la canzone:
i boschi antichi, ove una foglia casca,
muta, per ogni battito di cuore.

VI
IL NIDO

Dal selvaggio rosaio scheletrito
penzola un nido. Come, a primavera,
ne prorompeva empiendo la riviera
il cinguettio del garrulo convito!

Or v'è sola una piuma, che all'invito
del vento esita, palpita leggiera;
qual sogno antico in anima severa,
fuggente sempre e non ancor fuggito:

e già l'occhio dal cielo ora si toglie;
dal cielo dove un ultimo concento
salì raggiando e dileguò nell'aria;

e si figge alla terra, in cui le foglie
putride stanno, mentre a onde il vento
piange nella campagna solitaria.

VII
IL PONTE

La glauca luna lista l'orizzonte
scopre i campi nella notte occulti
e il fiume errante. In suono di singulti
l'onda si rompe al solitario ponte.

Dove il mar, che lo chiama? e dove il fonte,
ch'esita mormorando tra i virgulti?
il fiume va con lucidi sussulti
al mare ignoto dall'ignoto monte.

Spunta la luna: a lei sorgono intenti
gli alti cipressi dalla spiaggia triste,
movendo insieme come un pio sussurro.

Sostano, biancheggiando, le fluenti
nubi, a lei volte, che salìan non viste

le infinite scalèe del tempio azzurro.

VIII
AL FUOCO

Dorme il vecchio avanti i ciocchi.
Sogna un nuvolo di bimbi,
che cinguetta. Il ceppo al foco
russa roco.

Dorme anch'esso. A tutti i nocchi
sogna grappoli e corimbi.
Rosei pendono nell'aria
solitaria.

Bianchi i bimbi tra il fogliame,
su su, a quel roseo sorriso
vanno. Il ceppo occhi di brace
apre, e tace.

Ecco pendulo lo sciame
dal grande albero improvviso,
su su. Il vecchio nel cor teme,
guarda e geme.

Ogni bimbo al suo fiore alza
la mano e. . . scivola e va.
Sbarra il ceppo la pupilla:
crocchia e brilla.

E il vegliardo, al crocchiar, balza
nella rotta oscurità.
Gira lento gli occhi. Solo!
solo! solo!

IX
IL LAMPO

E cielo e terra si mostrò qual era:

la terra ansante, livida, in sussulto;
il cielo ingombro, tragico, disfatto:
bianca bianca nel tacito tumulto
una casa apparì sparì d'un tratto;
come un occhio, che, largo, esterrefatto,
s'aprì si chiuse, nella notte nera.

X
IL TUONO

E nella notte nera come il nulla,
a un tratto, col fragor d'arduo dirupo
che frana, il tuono rimbombò di schianto:
rimbombò, rimbalzò, rotolò cupo,
e tacque, e poi rimareggiò rinfranto,
e poi vanì. Soave allora un canto
s'udì di madre, e il moto di una culla.

XI
LONTANA

Cantare, il giorno, ti sentii: felice?
Cantavi; la tua voce era lontana:
lontana come di stornellatrice
per la campagna frondeggiante e piana.

Lontana sì, ma io sentia nel cuore
che quel lontano canto era d'amore:

ma sì lontana, che quel dolce canto,
dentro, nel cuore, mi moriva in pianto.

XII
I CIECHI

Siedono lungo il fosso, al solleone,
fuor dello stormeggiante paesello.
Passa un trotto via via tra il polverone,
una pesta, un alterco, uno stornello:

e da terra una grave salmodia
si leva, una preghiera, al lor cospetto.
- Il nostro pane - gemono via via:
il nostro, il nostro: tu, Gesù, l'hai detto.

XIII
DALLA SPIAGGIA

I

C'è sopra il mare tutto abbonacciato
il tremolare quasi d'una maglia:
in fondo in fondo un ermo colonnato,
nivee colonne d'un candor che abbaglia:

una rovina bianca e solitaria,
là dove azzurra è l'acqua come l'aria:

il mare nella calma dell'estate
ne canta tra le sue larghe sorsate.

II

O bianco tempio che credei vedere
nel chiaro giorno, dove sei vanito?
Due barche stanno immobilmente nere,
due barche in panna in mezzo all'infinito.

E le due barche sembrano due bare
smarrite in mezzo all'infinito mare;

e piano il mare scivola alla riva
e ne sospira nella calma estiva.

XIV
NOTTE DI NEVE

Pace! grida la campana,
ma lontana, fioca. Là

un marmoreo cimitero
sorge, su cui l'ombra tace:
e ne sfuma al cielo nero
un chiarore ampio e fugace.
Pace! pace! pace! pace!
nella bianca oscurità.

XV
NEVICATA

Nevica: l'aria brulica di bianco;
la terra è bianca; neve sopra neve:
gemono gli olmi a un lungo mugghio stanco:
cade del bianco con un tonfo lieve.

E le ventate soffiano di schianto
e per le vie mulina la bufera:
passano bimbi: un balbettio di pianto;
passa una madre: passa una preghiera.

XVI
NOTTE DOLOROSA

Si muove il cielo, tacito e lontano:

la terra dorme, e non la vuol destare;
dormono l'acque, i monti, le brughiere.

Ma no, ché sente sospirare il mare,
gemere sente le capanne nere:
v'è dentro un bimbo che non può dormire:
piange; e le stelle passano pian piano.

XVII
NOTTE DI VENTO

Allora sentii che non c'era,
che non ci sarebbe mai più...
La tenebra vidi più nera,
più lugubre udii la bufera...
uuh...uuuh...uuuh...

Venia come un volo di spetri,
gridando ad ogni émpito più:
un fragile squillo di vetri
seguiva quelli ululi tetri...
uuh...uuuh...uuuh...

Oh! solo nell'ombra che porta
quei gridi... (chi passa laggiù?)
Ohl solo nell'ombra già morta
per sempre... (chi batte alla porta?)
uuh...uuuh...uuuh...

XVIII
LA BAIA TRANQUILLA

Getta l'ancora, amor mio:
non un'onda in questa baia.
Quale assiduo sciacquìo
fanno l'acque tra la ghiaia!

Vien dal lido solatìo,
vien di là dalla giuncaia,
lungo vien come un addio,
un cantar di marinaia.

Tra le vetrici e gli ontani
vedi un fiume luccicare;

uno stormo di gabbiani
nel turchino biancheggiare;
e sul poggio, più lontani,
i cipressi neri stare.

Mare ! mare!
dolce là, dal poggio azzurro,
il tuo urlo e il tuo sussurro.

IL BACIO DEL MORTO

I

È tacito, è grigio il mattino;
la terra ha un odore di funghi;
di gocciole è pieno il giardino.

Immobili tra la leggiera
caligine gli alberi: lunghi
lamenti di vaporïera.

I solchi ho nel cuore, i sussulti,
d'un pianto sognato: parole,
sospiri avanzati ai singulti:

un solco sul labbro, che duole.

II

Chi sei, che venisti, coi lieti
tuoi passi, da me nella notte?
Non so; non ricordo: piangevi.

Piangevi: io sentii per il viso
mio piangere fredde, dirotte,
le stille dall'occhio tuo fiso

su me: io sentii che accostavi
le labbra al mio labbro a baciarmi;
e invano volli io levar gravi

le palpebre: gravi: due marmi.

III

Chi sei? donde vieni? presente
tuttora? mi vedi? mi sai?
e lacrimi tacitamente ?

Chi sei ? Trema ancora la porta.
Certo eri di quelli che amai,
ma forse non so che sei morta. . .

Né so come un'ombra d'arcano,
tra l'umida nebbia leggiera,
io senta in quel lungo lontano
saluto di vaporiera.

LA NOTTE DEI MORTI

I

La casa è serrata; ma desta:
ne fuma alla luna il camino.
Non filano o torcono: è festa.

Scoppietta il castagno, il paiolo
borbotta. Sul desco c'è il vino,
cui spilla il capoccio da solo.

In tanto essi pregano al lume
del fuoco: via via la corteccia
schizza arida... Mormora il fiume

con rotto fragore di breccia...

II

È forse (io non odo: non sento
che il fiume passare, portare
quel murmure al mare) d'un lento

vegliardo la tremula voce
che intuona il rosario, e che pare
che venga da sotto una croce,

da sotto un gran peso; da lunge
Quei poveri vecchi bisbigli
sonora una romba raggiunge

col trillo dei figli de' figli.

III

Oh! i morti! Pregarono anch'essi,
la notte dei morti, per quelli
che tacciono sotto i cipressi.

Passarono... O cupo tinnito
di squille dagli ermi castelli!
o fiume dall'inno infinito!

Passarono... Sopra la luna
che tacita sembra che chiami,
io vedo passare un velo, una

breve ombra, ma bianca, di sciami.

I DUE CUGINI

I

Si amavano i bimbi cugini
Pareva, un incontro di loro,
l' incontro di due lucherini:

volavano. Nell' abbracciarsi
i tòcchi cadevano, e l'oro
mescevano i riccioli sparsi.

Poi l'uno appassì come rosa
che in boccio appassisce nell'orto;
ma l'altra la piccola sposa

rimase del piccolo morto.

II

Tu piccola sposa, crescesti:
man mano intrecciavi i capelli,
man mano allungavi le vesti.

Crescevi sott'occhi che negano
ancora; ed i petali snelli
cadevano: il fiore già lega.

Ma l'altro non crebbe. Dal mite
suo cuore, ora, senza perché,
fioriscono le margherite

e i non ti scordare di me.

III

Ma tu . . . ma tu l'ami. Lo vedi,
lo chiami. La senti da lunge
la fretta dei taciti piedi . . .

Tu l'ami, egli t'ama tuttora;
ma egli col capo non giunge
al seno tuo nuovo, che ignora.

Egli esita: avanti la pura
tua fronte ricinta d'un nimbo,
piangendo l'antica sventura

tentenna il suo capo di bimbo.

PLACIDO

I

Io dissi a quel vecchio, «Dove?» Io

cercava un fanciullo mio buono,
smarrito: il mio Placido: mio!

Cercavo quelli occhi (... un cipresso?)
co' quali chiedeva perdono
di vivere, d'esserci anch'esso.

Cercavo. Ero giunto. Era quello
per certo il paese azzurrino
suo: monti, una selva, un castello,

poi monti: più su, San Marino.

II

Nel chiuso (... una croce?) noi soli
tre s'era: non c'era altro fiore
che l'oro di due girasoli.

Nel chiuso non c'era altra voce,
rammento, che il cupo stridore
d'un fuco ronzante a una croce;

e qualche fruscio di virgulto
al passo del vecchio, che aveva
le chiavi; e d'un tratto, un singulto

di lei: di Maria, che piangeva.

III

E in fine, guardandosi attorno,
«Qui» disse quell'uomo. A Sogliano
la torre sonò mezzogiorno.

Stridevano gli usci, i camini
fumavano tutti: lontano
s'udiva un vocio di bambini.

E lui? «Qui» mi disse: «non vede?»
Io vidi: tra il grigio becchino
e noi, vidi un nero, al mio piede,

di terra ah! scavata il mattino!

TRAMONTI

I
LA SIRENA

La sera, fra il sussurrìo lento
dell'acqua che succhia la rena,
dal mare nebbioso un lamento
si leva: il tuo canto, o Sirena.

E sembra che salga, che salga,
poi rompa in un gemito grave.
E l'onda sospira tra l'alga,
e passa una larva di nave:

un'ombra di nave che sfuma
nel grigio, ove muore quel grido;
che porta con sé, nella bruma,
dei cuori che tornano al lido:

al lido che fugge, che scese
già nella caligine, via;
che porta via tutto, le chiese
che suonano l'avemaria,

le case che su per la balza
nel grigio traspaiono appena,
e l'ombra del fumo che s'alza
tra forse il brusìo della cena.

II
PIANO E MONTE

Il disco, grandissimo, pende
rossastro in un latte d'opale:
e intaglia le case ed accende
i lecci nel nero viale;

che fumano, come foreste,
di polvere gialla e vermiglia:
s'annuvola in rosa e celeste
quel botro color di conchiglia.

Qua lampi di vetri, qua lente
cantate, qua grida confuse:
là placido il muto orïente
nell'ombra dei monti si chiuse.

Si vedono opache le vette,
è pace e silenzio tra i monti:

un breve squittir di civette,
un murmure lungo di fonti:
via via con fragore interrotto
si serra la casa tranquilla:
è chiusa: nel bianco salotto
la tacita lampada brilla.

IL CUORE DEL CIPRESSO

I

O cipresso, che solo e nero stacchi
dal vitreo cielo, sopra lo sterpeto
irto ,di cardi e stridulo di biacchi:

in te sovente, al tempo delle more,
odono i bimbi un pispillìo secreto,
come d'un nido che ti sogni in cuore.

L'ultima cova. Tu canti sommesso
mentre s'allunga l'ombra taciturna
nel tristo campo: quasi, ermo cipresso,
ella ricerchi tra que' bronchi un'urna.

II

Più brevi i giorni, e l'ombra ogni dì meno
s'indugia e cerca, irrequieta, al sole;
e il sole è freddo e pallido il sereno.

L'ombra, ogni sera prima, entra nell'ombra:
nell'ombra ove le stelle errano sole.
E il rovo arrossa e con le spine ingombra

tutti i sentieri, e cadono già roggie
le foglie intorno (indifferente oscilla
l'ermo cipresso), e già le prime pioggie
fischiano, ed il libeccio ulula e squilla.

III

E il tuo nido? il tuo nido?... Ulula forte
il vento e t'urta e ti percuote a lungo:
tu sorgi, e resti; simile alla Morte.

E il tuo cuore? il tuo cuore?... Orrida trebbia
l'acqua i miei vetri, e là ti vedo lungo,
di nebbia nera tra la grigia nebbia.

E il tuo sogno? La terra ecco scompare:
la neve, muta a guisa del pensiero,

cade. Tra il bianco e tacito franare
tu stai, gigante immobilmente nero.

ALBERI E FIORI

I
FIOR D'ACANTO
a Egisto Cecchi

Fiore di carta rigida, dentato
petali di fini aghi, che snello
sorgi dal cespo, come un serpe alato
da un capitello;

fiore che ringhi dai diritti scapi
con bocche tue di piccoli ippogrifi;
fior del Poeta! industrïa te d'api
schifa, e tu schifi.

L'ape te sdegna, piccola e regale;
ma spesso io vidi l'ape legnaiola
celare il corpo che riluce, quale
nera viola,

dentro il tuo duro calice, e rapirti
non so che buono, che da te pur viene
come le viti di tra i sassi e i mirti
di tra l'arene.

Lo sa la figlia del pastor, che vuoto
un legno fende e lieta pasce quanto
miele le giova: il tuo nettare ignoto,
fiore d'acanto.

II
NEL GIARDINO

Nel mio giardino, là nel canto oscuro
dove ora il pettirosso tintinnìa
col gelsomino rampicante al muro,
c'è la gaggìa;

e or che ottobre dentro la vermiglia
foresta il marzo rende morto al suolo,

e sembra marzo, come rassomiglia
bacca a bocciuolo,

alba a tramonto; nelle tenui trine
l'una si stringe, al roseo vespro, quando

l'altro i suoi fiori, candide stelline,
apre, alitando;

ed al sospiro dell'avemaria,
quando nel bosco dalle cime nude
il dì s'esala, il cuore in una pia
ombra si chiude;

e l'anima in quell'ombra di ricordi
apre corolle che imbocciar non vide;
e l'ombra di fior d'angelo e di fior di
spina sorride.

III
NEL PARCO
a Mario Racah

Certo il signore, e la chiomata moglie,
partì pe' campi, ché già il tordo zirla:
muto, tra un'ampia musica di foglie
(dolce sentirla

d'autunno, a tarda notte, se il libeccio
soffia con lunghi fremiti sonori),
muto è il palazzo. S'ode un cicaleccio
di tra gli allori ;

un cicaleccio donde acuti appelli
s'alzano come strilli di piviere:
il gatto è fuori: ruzzano i monelli
del giardiniere.

Torvo, aggrondato, il candido palazzo
formicolare a' piedi suoi li mira;
e sì n'echeggia un cupo, a quel rombazzo,
battito d'ira;

ma non s'adira il giovinetto alloro,
il leccio, il pioppo tremulo ed il lento
salice: a prova corrono con loro;
cantano al vento.

IV
ROSA DI MACCHIA

Rosa di macchia, che dall'irta rama
ridi non vista a quella montanina,
che stornellando passa e che ti chiama
rosa canina;

se sottil mano i fiori tuoi non coglie,
non ti dolere della tua fortuna:
le invidïate rose centofoglie
colgano a una

a una: al freddo sibilar del vento
che l'arse foglie a una a una stacca,
irto il rosaio dondolerà lento
senza una bacca;

ma tu di bacche brillerai nel lutto
del grigio inverno; al rifiorir dell'anno
i fiori nuovi a qualche vizzo frutto
sorrideranno:

e te, col tempo, stupirà cresciuta
quella che all'alba svolta già leggiera
col suo stornello, e risalirà muta,
forse, una sera.

V
PERVINCA

So perché sempre ad un pensier di cielo
misterïoso il tuo pensier s'avvinca,
sì come stelo tu confondi a stelo,
vinca pervinca;

io ti coglieva sotto i vecchi tronchi
nella foresta d'un convento oscura,
o presso l'arche, tra vilucchi e bronchi,
lungo la mura.

Solo tra l'arche errava un cappuccino;
pareva spettro da quell'arche uscito,
bianco la barba e gli occhi d'un turchino
vuoto, infinito;

come il tuo fiore: e io credea vedere
occhi di cielo, dallo sguardo fiso,
più d'anacoreti, allo svoltar, tra nere
ombre, improvviso;

e il bosco alzava, al palpito del vento,
una confusa e morta salmodia,
mentre squillava, grave, dal convento
l'avemaria.

VI
IL DITTAMO

Dittamo nato all'umile finestra,
donde pel Corpusdomini sorrisi

alla soave tra fior di ginestra
e fiordalisi

processïone; io so di te, che immensa
virtù possiedi ne' chiomanti capi,
cespo lanoso ed olezzante, mensa
ricca dell'api.

Te, con la freccia tremolante al dosso,
cerca nei monti il daino selvaggio,
farmaco certo - di lui segue un rosso
rigo il vïaggio -

Dittamo blando per la mia ferita
l'avete, o balze degli aerei monti,
dove nell'alto piange la romita
culla dei fonti ?

Bianche ai dirupi pendono le capre;
l'aquila passa nera e solitaria;
sibila l'erba inaridita; s'apre,
sotto il piè, l'aria.

VII
EDERA FIORITA
ad Ettore Toci

Quando, di maggio, tu le dolci sere
imbalsamavi co' tuoi fiori, ornello
(era un sussurro alle finestre nere
del paesello!);

non ti rincrebbe d'un infermo arbusto
che, mosso anch'egli da dolcezza estiva,
con le sue foglie, come cuori, al fusto
lento saliva.

Non ti rincrebbe. Ed ora che gelata
la tramontana soffia, e che traspare

già dalle porte chiuse la fiammata
del focolare;

ora che il verno spoglia le foreste
e le tue foglie per le vie disperde;
o vecchio ornello, te ricopre e veste
l'edera verde.

Sui rami nudi i fiori suoi ti pone,
tra verdi e gialli, piccoli, com'era
la tua fiorita morta: illusïone
di primavera.

VIII
VIOLE D'INVERNO

- D'onde, o vecchina, queste vïolette
serene come un lontanar di monti
nel puro occaso ? Poi che il gelo ha strette
tutte le fonti ;

il gelo brucia dalle stelle, o nonna,
ogni foglia, ogni radica, ogni zolla -
- Tiepida, sappi, lungo la Corsonna
geme una polla.

Là noi sciacquiamo il candido bucato
nell'onda calda in mezzo a nevi e brine;
e il poggio è pieno di vïole, e il prato
di pratelline -

Ah! . . . ma, poeta, non ancor nel pio
tuo cuore è l'onda che discioglie il gelo ?
non è la polla, calda nell'oblio
freddo del cielo?

Ché sempre, se ti agghiaccia la sventura,
se l'odio altrui ti spoglia e ti desola,
spunta, al tepor dell'anima tua pura,
qualche vïola.

IX
IL CASTAGNO
a Francesco Pellegrini

I

Quando sfioriva e rinverdiva il melo,
quando s'apriva il fiore del cotogno,
il greppo, azzurro, somigliava un cielo

visto nel sogno;

brullo io te vidi; e già per ogni ripa
erano colte tutte le vïole,
e tu lasciavi ai cesti ed alla stipa
tutto il tuo sole;

e, pio castagno, i rami dalla bruma
ancora appena e dal nevischio vivi,
a mano a mano d'una lieve spuma
verde coprivi.

Ma poi, vedendo sotto il fascio greve
le montanine tergersi la fronte,

tu che le sai da quando per la neve
scendono il monte,

ecco, pietoso tu di lor, tessesti
lungo i torrenti, all'orlo dei burroni,
una fredda ombra, che gemé di mesti
cannareccioni.

II

E qualche cosa già nell'aspro cardo
chiuso ascondevi, come l'avo buono
che nell'irsuta mano cela un tardo
facile dono.

Ai primi freddi, quando il buon villano
rinumerò tutti i suoi bimbi al fuoco;
e con lui lungamente il tramontano
brontolò roco;

e tu quei cardi, in mezzo alle procelle,
spargesti sopra l'erica ingiallita,
e li schiudevi per pietà di quelle
povere dita

Tutti spargesti i cardi irti e le fronde
fragili, e tutto portò via festante
la grama turba. Nudo con le monde
rame, o gigante,

stavi, e vedevi tu la vite e il melo
vestiti d'oro e porpora al riflesso
già delle nevi, e per lo scialbo cielo
nero il cipresso.

III

Per te i tuguri sentono il tumulto
or del paiolo che inquïeto oscilla;
per te la fiamma sotto quel singulto
crepita e brilla:

tu, pio castagno, solo tu, l'assai
doni al villano che non ha che il sole;
tu solo il chicco, il buon di più, tu dai
alla sua prole;

ha da te la sua bruna vaccherella
tiepido il letto e non desìa la stoppia;
ha da te l'avo tremulo la bella
fiamma che scoppia.

Scoppia con gioia stridula la scorza
de' rami tuoi, co' frutti tuoi la grata
pentola brontola. Il vento fa forza
nell'impannata.

Nevica su le candide montagne,
nevica ancora. Lieto è l'avo, e breve
augura, e dice: Tante più castagne,
quanta più neve.

X
IL PESCO
a Adolfo Cipriani

Penso a Livorno, a un vecchio cimitero
di vecchi morti; ove a dormir con essi
niuno più scende; sempre chiuso; nero
d'alti cipressi.

Tra i loro tronchi che mai niuno vede,
di là dell'erto muro e delle porte
ch'hanno obliato i cardini, si crede
morta la Morte,

anch'essa. Eppure, in un bel dì d'Aprile,
sopra quel nero vidi, roseo, fresco,
vivo, dal muro sporgere un sottile
ramo di pesco.

Figlio d'ignoto nòcciolo, d'allora
sei tu cresciuto tra gli ignoti morti?
ed ora invidii i mandorli che indora
l'alba negli orti?

od i cipressi, gracile e selvaggio,
dimenticàti, col tuo riso allieti,
tu trovatello in un eremitaggio
d'anacoreti?

XI
CANZONE DI NOZZE
ad Enrico Bemporad

Guardi la vostra casa sopra un rivo,
sopra le stipe, sopra le ginestre;
ed entri l'eco d'un gorgheggio estivo
dalle finestre.

Dolce dormire con nel sogno il canto
dell'usignuolo! E sian sotto la gronda
rondini nere. Dolce avere accanto
chi vi risponda,

sul far dell'alba, quando voi direte
pian piano: È vero che non s'è più soli?
Sì: si, diranno, vero ver... Che liete
grida! che voli!

sul far dell'alba, quando tutto ancora
sembra dormir dietro le imposte unite!
Sembra, e non è. Voi sì, forse, in quell'ora,
madri, dormite.

Sognate biondo: nelle vostre teste
non un fil bianco: bianche, nel giardino,
sono, sì, quelle ch'ora vi tendeste,
fascie di lino.

XII
I GIGLI

Nel mio villaggio, dietro la Madonna
dell'acqua, presso a molti pii bisbigli,
sorgono sopra l'esile colonna
verde i miei gigli:

miei, ché a deporne i tuberi in quel canto
del suo giardino fu mia madre mesta.
D'altri è il giardino: di mia madre (è tanto!...)
nulla piú resta.

Sono tanti anni!... Ma quei gigli ogni anno
escono ancora a biancheggiar tra folti

cesti d'ortica; ed ora... ora saranno
forse già còlti.

Forse già sono su l'altar, lì presso,
a chieder acqua, or ch'è mietuto il grano,
per il granturco: e nel pregar sommesso
meridïano,

guardando i gigli, alcuna ebbe un fugace
ricordo; e chiede che Maria mi porti
nella mia casa, per morirvi in pace
presso i miei morti

COLLOQUIO

I

Brulli i pioppi nell'aria di vïola
sorgono sopra i lecci, sfavillando
come oro: sopra il tetto della scuola
si sfrangia un orlo a fiocchi rosei; quando,

lieve come un sospiro, entra; poi sola,
bianca, le mani al cuore, ristà, ansando;
gira gli occhi - dov'è la famigliuola? -
e ha sui labbri il suo sorriso blando;

ma piange. Oh: sì: son quello: il tuo Giovanni...
un po' mutato. O madre seppellita,
che gli altri lasci, oggi, per me; parliamo.

Io devo dirti cosa da molti anni
chiusa dentro. E non piangere. La vita
che tu mi desti - o madre, tu ! - non l'amo.

II

Non piangere. È uno sforzo così mesto
viverla senza te questa tua vita!
ad ogni gioia è tanto dolor questo
subito ricordar te, seppellita!

Dai sogni, oh! brevi, della gioia desto
io mi ritrovo a piangere infinita-
mente con te: morire! così presto!
partire, o madre, come sei partita!

Tu non dovevi. Con quelli occhi in pianto!

con quella bimba che parlava appena!
Dovevi, o madre pia, dirlo a Dio padre,

che non potevi; e ti lasciasse; e in tanto
te la guarisse Dio quella tua vena
che ci si ruppe nel tuo cuore, o madre!

III

Non piangere. . . Sarebbe così bello
questo mondo odorato di mistero!
sarebbe la tua via come un sentiero
con l'erba intatta, all'ombra dell'ornello.

E nuova tu saresti anche all'amello,
anche al frullo d'un passero ciarliero!
Ma rasentando il muto cimitero,
ti fermeresti pallida al cancello . . .

E io direi del sonno delle larve
che sognano ali, e delle siepi tetre
ch'hanno nel sonno grappoli di fiori.

Pianger ti lascierei di ciò che sparve;
indi sorrideremmo anche alle pietre
bianche, là, tra cipressi e sicomori.

IV

Ma . . . ma tu piangi come non ti vidi
piangere mai, nel dolce viso attento.
Ma se lo so, con che dolce lamento
chiedevi al cielo e con che fiochi gridi
che ti lasciasse! Quali madri i nidi
lasciano soli pigolare al vento ?
S'era per mamma, t'avrei qui; lo sento:
viva; lo so: perdonami; sorridi.

Ma se lo so: fioccava senza fine;
e tu, tra i ceri, con la morte accanto,
sentendo gli urli della tramontana,
parlavi, ancora, delle due bambine
cui non potevi, non potevi, in tanto,
cucire i piccoli abiti di lana.

V

Ma sì: la vita mia (non piangere!) ora
non è poi tanto sola e tanto nera:
cantò la cingallegra in su l'aurora,

cantava a mezzodì la capinera.

I canarini cantano la sera
per la mia cena piccola e canora:
poi nell'orto vedessi a primavera
come il ciclame e l'ulivella odora!

I gerani vedrai, messi al coperto
dal gelo: qualche foglia ha la cedrina,
ricordi ? l'erba che piaceva a te . . .

Sorridi? a questo sbatter d'usci ? È certo
Ida tua che sfaccenda, oggi, in cucina.
E Maria? Maria prega, oggi, per me.

IN CAMMINO

Siede sopra una pietra del cammino,
a notte fonda, nel nebbioso piano:
e tra la nebbia sente il pellegrino
le foglie secche stridere pian piano:
il cielo geme, immobile, lontano,
e l'uomo pensa: Non sorgerò più.

Pensa: un occhiata quale passeggero,
vana, ha gettata a passeggero in via,
è la sua vita, e impresse nel pensiero
l'orma che lascia il sogno che s'oblia;
un'orma lieve, che non sa se sia
spento dolore o gioia che non fu.

Ed ecco - quasi sopra la sua tomba
siede, tra l'invisibile caduta -
passa uno squillo tremulo di tromba
che tra la nebbia, nel passar, saluta;
squillo che viene d'oltre l'ombra muta,
d'oltre la nebbia: di più su: più su,

dove serene brillano le stelle
sul mar di nebbia, sul fumoso mare
in cui t'allunghi in pallide fiammelle
tu, lento Carro, e tu, Stella polare,
passano squilli come di fanfare,
passa un nero triangolo di gru.

Tra le serene costellazïoni
vanno e la nebbia delle lande strane;
vanno incessanti a tiepidi valloni,

a verdi oasi, ad isole lontane,
a dilagate cerule fiumane,
vanno al misterïoso Timbuctù.

Sono passate . . . Ma la testa alzava
dalla sua pietra intento il pellegrino
a quella voce, e tra la nebbia cava
riprese il suo bordone e il suo destino:
tranquillamente seguitò il cammino
dietro lo squillo che vanìa laggiù.

ULTIMO SOGNO

Da un immoto fragor di carrïaggi
ferrei, moventi verso l'infinito
tra schiocchi acuti e fremiti selvaggi...
un silenzio improvviso. Ero guarito.

Era spirato il nembo del mio male
in un alito. Un muovere di ciglia;
e vidi la mia madre al capezzale:
io la guardava senza meraviglia.

Libero!... inerte sì, forse, quand'io
le mani al petto sciogliere volessi:
ma non volevo. Udivasi un fruscio
sottile, assiduo, quasi di cipressi;

quasi d'un fiume che cercasse il mare
inesistente, in un immenso piano:
io ne seguiva il vano sussurrare,
sempre lo stesso, sempre più lontano.

Fine

Milton Keynes UK
Ingram Content Group UK Ltd.
UKHW031121280823
427620UK00010B/638